D0610350

DEVENEZ ASTRONOME AMATEUR

L'auteur et les éditeurs remercient le Service des activités socio-culturelles du ministère du Loisir, de la Chasse et de la Pêche pour l'aide accordée à la publication de cet ouvrage.

L'auteur et les éditeurs remercient également les personnes suivantes qui, en donnant leurs conseils ou en fournissant leurs photos, ont participé à la réalisation de ce livre : Pierre Arpin, Franco Cavezzali, le Club d'astronomie du Collège de Lévis, Michel Dionne, Louis Genest c.s.v., Réal Manseau, Normand Hébert, Damien Lemay, Pierre Lemay, et Michel Rebetez, l'Observatoire du Mont Mégantic, Reynald Bouchard.

Jean Vallières

DEVENEZ ASTRONOME AMATEUR

3e édition

sous la direction de Félix Maltais

1987
Québec Science Éditeur
Presses de l'Université du Québec
Case postale 250, Sillery, Québec G1T 2R1

TABLE DES MATIÈRES

PRÉFACE

Au début de cette nouvelle décennie, alors que pointent les premières lueurs crépusculaires du 21e siècle, le Québec achève de s'éveiller à son environnement cosmique. Avec vigueur et enthousiasme, la conscience et l'étude de l'astronomie accèdent ici et aujourd'hui à une nouvelle maturité qui se manifeste à travers toute l'étoffe de notre société.

Stimulés par l'essor d'organismes tant amateurs que professionnels, les gens deviennent de plus en plus avides et informés des révélations scientifiques de l'astronomie contemporaine. Ils commencent aussi à percevoir la chose astronomique non plus seulement comme un sujet de recherche réservé aux initiés mais aussi comme un fait maintenant indissociable du cheminement physique et culturel de l'humanité.

C'est avec plaisir et satisfaction que je constate cet essor de l'astronomie au Québec. Les groupes d'astronomes amateurs gonflent leurs rangs chaque année. Ceux chez qui s'éveille l'intérêt astronomique trouvent dans ces groupes et sociétés des ressources toujours améliorées pour les guider et les stimuler. L'Association des groupes d'astronomes amateurs, parrainée par la Fédération québécoise du loisir scientifique, appuie les nombreuses structures locales et coordonne des activités à l'échelle de tout le Québec. Certaines sociétés, établies depuis longtemps dans les grands centres métropolitains, telle la Société d'astronomie de Montréal, continuent de jouer un rôle clé et exemplaire dans l'épanouissement de l'astronomie amateur.

Et j'aime à croire que cette coupole qui, depuis peu, luit au sommet du mont Mégantic, abritant un grand télescope et symbolisant la présence au Québec d'un important centre de recherche et d'enseignement supérieur en astronomie, est pour tous un sujet de fierté et de promesses d'essor continu. Car l'interaction entre les amateurs et les professionnels de l'astronomie est des plus fructueuses. Et si l'observatoire astronomique du mont Mégantic sert à la recherche professionnelle, il possède aussi une mission d'éducation populaire qu'il ne saurait assumer seul et où le plus grand rôle échoit aux groupes d'amateurs.

Qui s'adonne à l'astronomie de quelque façon que ce soit y trouve une satisfaction intellectuelle, un plaisir esthétique et un émerveillement que seules l'observation et l'étude du cosmos savent procurer. Encore faut-il qu'au départ quelqu'un nous prenne par la main pour guider nos premiers pas, nous orienter et nous enseigner à mieux voir. Et c'est cette première étape, si critique souvent, mais combien excitante, que Jean Vallières nous aide à franchir par son livre. Observateur chevronné et animateur expérimenté de groupes d'amateurs, l'auteur fait preuve, dans cette oeuvre, de ses solides connaissances de l'astronomie d'observation et de son talent de vulgarisateur qui sait rendre le sujet stimulant. Parmi les nombreuses contributions de Jean Vallières à l'épanouissement de l'astronomie, ce livre est probablement appelé à devenir celle qui aura l'impact le plus vaste.

René Racine
Directeur de l'observatoire astronomique du mont Mégantic

1.
LE CIEL À L'ŒIL NU ET AUX JUMELLES

CE QU'ON VOIT À L'ŒIL NU

Pour la majorité des habitants de nos pays dits civilisés et développés, il devient de plus en plus difficile de faire l'expérience d'une nuit aux milliers d'étoiles semblables à celles que devaient observer régulièrement les bergers de l'antiquité. Pourtant, l'œil humain peut toujours distinguer au moins trois mille étoiles à la fois sur la moitié visible de la sphère céleste. Il faut cependant certaines conditions pour y arriver telles que l'absence de nuages et de la Lune. Il faut de plus attendre la fin du crépuscule astronomique, lorsque le Soleil est au moins à 18 degrés sous l'horizon. Il faut enfin s'éloigner de la pollution lumineuse des villes où la nuit n'est toujours qu'un long crépuscule artificiel pendant lequel on ne distingue que les étoiles les plus brillantes. Pour y arriver, le citadin est contraint à parcourir les 100 kilomètres qui le mèneront sous un ciel où la lumière des milliers de soleils lointains n'est pas éblouie par celle de nos petits soleils factices.

Il est surprenant d'énumérer tout ce qu'on peut observer à l'œil nu par une nuit claire et sans Lune du mois d'août à la campagne. Pour que l'effet soit plus saisissant, il est

Jean Vallières

Lors d'une belle nuit d'été, il ne faut pas manquer de diriger sa paire de jumelles dans la constellation du Sagittaire où se trouve le centre de la Voie Lactée. On y rencontre plusieurs amas d'étoiles et nébuleuses comme la nébuleuse Trifide, M 20 sur cette page, et la nébuleuse du Lagon, M 8 sur la page d'en face. Les deux photos ont été obtenues avec un télescope de 310 mm d'ouverture.

Jean Vallières

La nébuleuse du Lagon contient surtout de l'hydrogène rendu luminescent par la lumière ultra-violette et les rayons X émis par les étoiles voisines. On y remarque quelques globules sombres, condensations de matière plus dense et opaque où naissent les étoiles. La carte de cette région dans le chapitre 5 donne la situation exacte de ces deux nébuleuses.

recommandé de laisser l'œil s'adapter à l'obscurité pendant au moins cinq minutes avant de sortir. Aussitôt dehors, on est d'abord saisi par la poussière d'étoiles qui surplombe nos têtes. On dirait qu'il y en a des millions. On remarque vite la Voie Lactée comme une bande lumineuse, comme un nuage faiblement luminescent traversant le ciel d'un horizon à l'autre. Puis tout à coup, hop ! c'est la traînée lumineuse d'une étoile filante. Vers le 12 août, un seul observateur peut compter environ 50 de ces étoiles filantes en une heure. Certaines nuits, une aurore boréale peut venir draper le ciel de sa lumière dansante. Enfin, un observateur attentif verra çà et là des petites taches faiblement lumineuses qui pourraient être des nébuleuses, des galaxies lointaines ou des amas d'étoiles. Ce qui suit est une liste détaillée des astres et des phénomènes astronomiques visibles à l'œil nu.

Le Soleil et les éclipses de Soleil

Il est dangereux pour la vue de fixer le Soleil sans protection. On parle de plusieurs méthodes pour l'observer mais la plus sûre est sans doute d'utiliser le filtre d'un casque de soudeur. Certaines des plus grosses taches solaires, quand il y en a, sont visibles sans télescope. Une éclipse totale de Soleil est un phénomène très rare pour un endroit donné. Il faut presque toujours se déplacer assez loin mais le voyage en vaut la peine. On discute plus en détail des éclipses dans le troisième chapitre.

La Lune et les éclipses de Lune

À la pleine Lune, on y voit des parties claires et des taches sombres, appelées mers, qui semblent dessiner le visage d'un bonhomme. Les cratères ne sont pas visibles à l'œil nu. Au printemps, entre la nouvelle Lune et le premier quartier, on voit bien la lumière cendrée qui est le clair de Terre sur la partie de la Lune non éclairée par le Soleil. Les éclipses de Lune sont moins spectaculaires mais plus fréquentes que celles du Soleil. Durant la phase totale, la Lune devient rouge sombre et peut même disparaître complètement.

Les étoiles

Le scintillement des étoiles est provoqué par la turbulence atmosphérique. Les étoiles faibles semblent toutes blanches ou incolores. On peut cependant distinguer facilement les couleurs des plus brillantes. Rigel est bleue, Antarès est rouge, Capella est jaune, Véga est blanche. Certaines étoiles se tiennent par paires comme Mizar et Alcor dans la Grande Ourse (figure 1.10). Une personne non myope peut facilement distinguer les deux étoiles.

Les planètes

Si on observe une étoile très brillante qui n'apparaît pas sur les cartes célestes, il se pourrait que ce soit une nova ou une supernova. Il est cependant beaucoup plus probable qu'il s'agisse d'une planète, surtout si elle est située près de la ligne de l'écliptique (voir les cartes). Les planètes ressemblent à des étoiles brillantes mais elles ne scintillent pas. Les planètes visibles à l'œil nu et connues depuis la préhistoire sont Mercure, Vénus, Mars, Jupiter et Saturne. Vénus, astre le plus brillant après le Soleil et la Lune, est visible à l'ouest comme étoile du soir après le coucher du Soleil ou à l'est comme étoile du matin avant le lever du Soleil.

La Voie Lactée

En été et en automne, la Voie Lactée est visible comme une bande luminescente traversant le ciel d'un horizon à l'autre. La Voie Lactée est le nom et l'aspect que prend notre galaxie vue de la Terre. Une paire de jumelles ou un petit télescope suffit pour montrer qu'elle est en réalité composée d'une multitude d'étoiles trop faibles pour être visibles à l'œil nu.

Les aurores boréales

Sous nos latitudes nordiques, les aurores boréales sont relativement fréquentes. Elles sont provoquées par les particules électriquement chargées projetées par les éruptions de la surface solaire et pénétrant dans la haute atmosphère par les couloirs du champ magnétique terrestre. La rencontre de ces particules avec les molécules d'air raréfié provoque une luminescence qui prend la forme de rayons dansants ou de rideaux ondulants. On peut parfois observer des aurores colorées.

Les comètes

Les comètes visibles à l'œil nu sont rares. On en compte en moyenne une tous les trois ou quatre ans. Il s'agit d'astres éphémères, de paquets de cailloux, de poussières et de gaz congelés, qui ne deviennent visibles qu'à l'approche du Soleil. L'astre du jour décongèle les gaz et les repousse en arrière par la pression de sa propre lumière, ce qui forme souvent de magnifiques queues. Lorsqu'une comète a le bonheur d'apparaître, elle ne reste visible que quelques semaines et plus rarement quelques mois. Il existe des comètes périodiques dont on peut prévoir les retours. La plus célèbre de toutes est la fameuse comète de Halley qui nous a visités la dernière fois en 1986 et dont on attend le retour en 2063.

Les étoiles filantes

Une étoile filante apparaît quand un caillou provenant de l'espace à une vitesse de l'ordre de 50 kilomètres par seconde pénètre dans l'atmosphère et s'y consume par la chaleur causée par la friction de l'air. Il devient alors lumineux. Certaines étoiles filantes laissent une traînée lumineuse pouvant durer plusieurs secondes. On peut observer des étoiles filantes à l'année longue. Il y a cependant des périodes privilégiées où l'on peut en compter un plus grand nombre. La plus belle de ces pluies d'étoiles filantes est celle des Perséides. Autour du 12 août, un seul observateur peut compter jusqu'à 50 étoiles filantes à l'heure.

Deux photos prises par Damien Lemay de Rimouski avec un téléobjectif de 200 mm de focale ouvert à f: 3,5. EN HAUT: la comète West photographiée le 8 mars 1976 avec une exposition de cinq minutes sur film Tri-X. EN BAS : la nova du Cygne (l'étoile brillante à gauche) photographiée le soir de sa découverte, le 29 août 1975 à 21h30m HNE avec une exposition de huit minutes sur film Tri-X. L'étoile brillante à droite est Déneb.

PRINCIPALES PLUIES D'ÉTOILES FILANTES		
Nom	**Date**	**Nombre**
Quadrantides	3 janvier	40
Lyrides	22 avril	15
Aquarides	5 mai	20
Perséides	12 août	50
Orionides	21 octobre	25
Léonides	17 novembre	15
Géminides	14 décembre	50

Figure 1.1 : Ce tableau décrit les principales pluies d'étoiles filantes. Le nom de la pluie indique la constellation d'où les étoiles filantes semblent irradier. On donne ensuite la date du maximum de la pluie ainsi que le nombre d'étoiles filantes visibles en une heure par un seul observateur.

Amas stellaires et nébuleuses

Sans l'aide d'instrument, il est possible de voir plusieurs amas d'étoiles, nébuleuses et galaxies par une nuit sans Lune. Ce qui suit est une description des plus spectaculaires de ces objets. On peut en trouver l'emplacement dans le ciel à l'aide des cartes des figures 1.10 à 1.13.

Les Pléiades (M 45) : Amas stellaire deux fois plus étendu que la pleine Lune, visible en automne et en hiver dans la constellation du Taureau. Les anciens s'en servaient pour mesurer l'acuité visuelle. Un œil parfait peut y compter sept étoiles. Au télescope, on en dénombre quelques centaines.

La grande nébuleuse d'Orion (M 42) : Nébuleuse diffuse gazeuse de même étendue que la pleine Lune, visible en

Deux photos de l'amas ouvert des Pléiades, M 45, dans la constellation du Taureau. EN HAUT : photo obtenue par Damien Lemay du centre de Québec de la Société royale d'astronomie du Canada avec une caméra Schmidt de 5,5 po. d'ouverture; exposition de dix minutes sur film Ilford HP-5. EN BAS : Louis Bellavance et André Plamondon du groupe S.A.R.E.L. ont obtenu cette photo en exposant 18 minutes sur film 103a-F au foyer primaire d'un télescope de 200 mm d'ouverture.

hiver et au printemps juste en dessous des trois étoiles alignées de la ceinture d'Orion.

La grande galaxie d'Andromède (M 31): Galaxie géante spirale située à deux millions d'années-lumière et visible en automne et en hiver dans la constellation d'Andromède comme une tache allongée deux fois plus étendue que la pleine Lune.

Amas double de Persée : Deux taches diffuses plus petites que la pleine Lune et se touchant, visibles en été, en automne et en hiver dans la constellation de Persée. Une paire de jumelles permet de le résoudre en étoiles.

L'amas globulaire d'Hercule (M 13): Très petit et très faible (de cinquième magnitude), aspect quasi-stellaire. Visible au printemps et en été dans la constellation d'Hercule.

Les étoiles variables

Il existe dans le ciel de nombreuses étoiles dont l'éclat n'est pas constant. Parmi les plus brillantes visibles à l'œil nu, la plus connue est Algol. Il s'agit d'une étoile double à éclipse dont les deux composantes sont trop proches pour être séparées par l'œil et même par les télescopes. Tous les 2,87 jours, la composante plus faible en orbite autour de la plus brillante passe devant cette dernière. On voit alors pendant une période d'environ quatre heures l'éclat d'Algol, qui est ordinairement égal à celui de la Polaire, devenir trois fois plus faible.

CE QU'ON VOIT AVEC UNE PAIRE DE JUMELLES

Rares sont ceux qui n'ont pas eu l'occasion d'apporter une paire de jumelles en voyage, en excursion ou en camping. Cet instrument peu encombrant destiné à l'observation de la nature s'adapte très bien à l'observation astronomique, les astres étant des objets éloignés faisant partie de la nature. Le seul problème est la faible luminosité des objets étudiés en astronomie. Il est alors nécessaire d'utiliser des jumelles assez lumineuses. On recommande des 7X50 mm ou des 10X50 mm.

Avec une paire de jumelles, l'idéal est de tenter l'observation de tous les objets visibles à l'œil nu décrits dans la section précédente (excepté le Soleil). Par exemple, quand la Lune est près du premier ou du dernier quartier, on peut distinguer ses plus gros cratères.

Les étoiles demeurent ponctuelles mais les planètes commencent à montrer des formes différentes. À certaines occasions, on peut voir Vénus sous forme d'un très petit croissant. Saturne ne montre pas ses anneaux, mais on distingue une petite forme ovale. La plus spectaculaire est Jupiter. Autour d'un petit globe, on voit évoluer les quatre satellites découverts par Galilée en 1610. D'heure en heure et de soir en soir, ils se déplacent et montrent des configurations changeantes. Quelquefois, on ne peut en voir que deux ou trois, les autres étant devant ou derrière le globe de Jupiter. Les planètes Mars et Mercure sont trop petites et ressemblent à des étoiles.

À certains endroits de la Voie Lactée, où l'œil ne voit que des taches diffuses, les jumelles permettent de dénombrer quantité d'étoiles. En réalité, l'explication est simple puisqu'une paire de jumelles de 50 mm permet de voir des étoiles cinquante à cent fois plus faibles que celles qu'on peut voir à l'œil nu. Ainsi, les amas stellaires comme les Pléiades voient le nombre de leurs étoiles décupler et on commence à distinguer des formes filamenteuses dans des nébuleuses comme celle d'Orion.

Une autre surprise nous attend en examinant les étoiles aux jumelles : certaines se dédoublent. Nous savons en effet aujourd'hui que la plupart des étoiles sont regroupées en systèmes doubles, triples ou multiples, contrairement à notre Soleil qui est une étoile simple. Les cartes des figures 1.10 à 1.13 montrent les positions des étoiles doubles, amas stellaires, nébuleuses et galaxies les plus spectaculaires à l'œil nu et aux jumelles.

La nébuleuse América, NGC 7 000, appelée ainsi à cause de sa forme imitant celle de l'Amérique du Nord. Le golfe du Mexique est très facile à reconnaître; avec un peu d'imagination, on y retrouve le Québec. L'autre nébuleuse plus à droite est celle du Pellican. Photo obtenue par Louis Carrier avec la caméra Schmidt de 200 mm d'ouverture de l'observatoire du club d'astronomie du collège de Lévis. Exposition de 30 minutes sur film 103a-F avec filtre rouge.

UN CHERCHE-ÉTOILES

Le cherche-étoiles de cette section est composé de six cartes du ciel montrant entièrement l'hémisphère visible du ciel tout au long de l'année. Le cercle entourant chaque carte représente l'horizon et les points cardinaux y sont indiqués. Le zénith, le point juste au-dessus de nos têtes, se trouve exactement au centre de chaque carte. On peut remarquer que l'étoile Polaire (identifiée par la lettre P) est au même endroit sur toutes les cartes. À notre latitude de 45° nord pour laquelle les cartes ont été dessinées, la Polaire se trouve à mi-chemin entre l'horizon nord et le zénith.

Le graphique de la figure 1.2 indique quelle carte on doit choisir pour observer le ciel à des dates et à des heures données. Par exemple, la carte « Juillet-août » montre le ciel tel qu'on le voit le 7 août à 21 heures ou bien le 22 mai à deux heures. Le temps 0 signifie minuit.

Sur chacune des cartes, on représente en traits la ligne de l'écliptique, la trajectoire du Soleil. La Lune et les planètes se tiennent aussi toujours près de cette ligne. D'ailleurs, l'écliptique traverse les douze constellations du zodiaque. Si une des constellations du zodiaque contient une étoile brillante qui n'est pas sur les cartes, il s'agit certainement d'une planète.

La Voie Lactée est représentée par la bande en pointillés. Les noms des constellations sont en lettres minuscules. On n'y écrit que les trois premières lettres du nom des étoiles. Le tableau 1.9 donne le nom, la magnitude et la couleur souvent visible à l'œil nu de chacune des étoiles les plus brillantes. L'œil nu peut voir les étoiles jusqu'à la magnitude 6. Une étoile de magnitude 5 est 2,512 fois plus brillante qu'une étoile de magnitude 6. Une étoile de magnitude 4 est aussi 2,512 fois plus brillante qu'une étoile de magnitude 5, et ainsi de suite, de sorte qu'une étoile de magnitude 0 est 250 fois plus brillante qu'une étoile de magnitude 6.

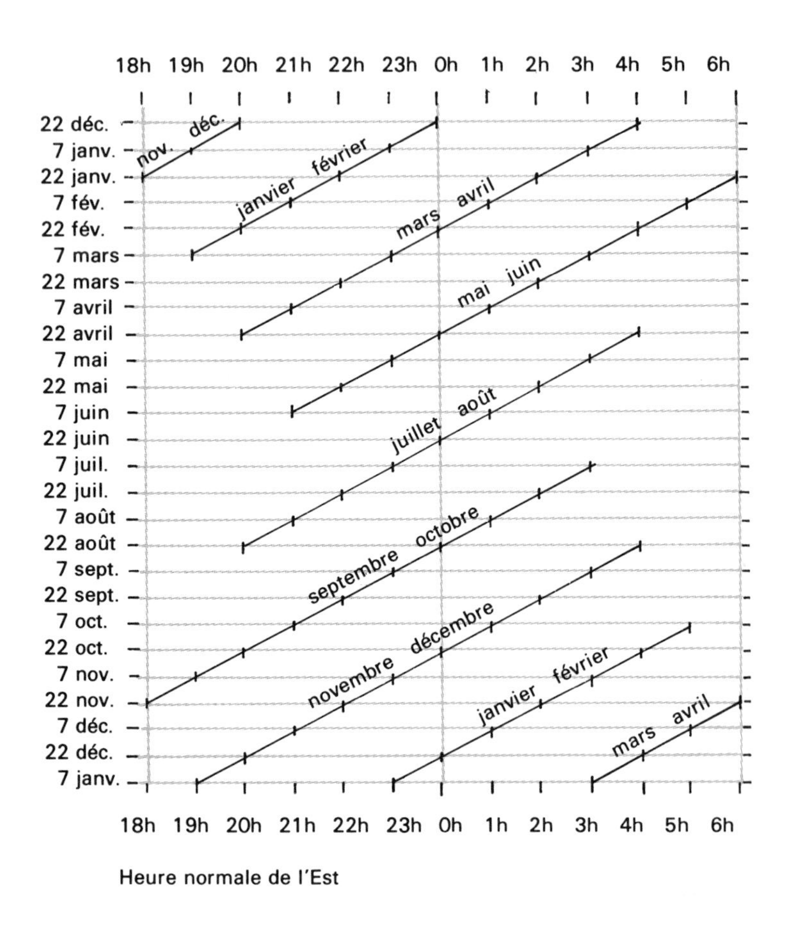

Figure 1.2: Ce graphique indique quelle carte on doit choisir pour observer le ciel à des dates et à des heures données. Par exemple, la carte «Juillet-Août» montre le ciel tel qu'on le voit le 7 août à 21 heures ou bien le 22 mai à deux heures. Le temps zéro signifie minuit.

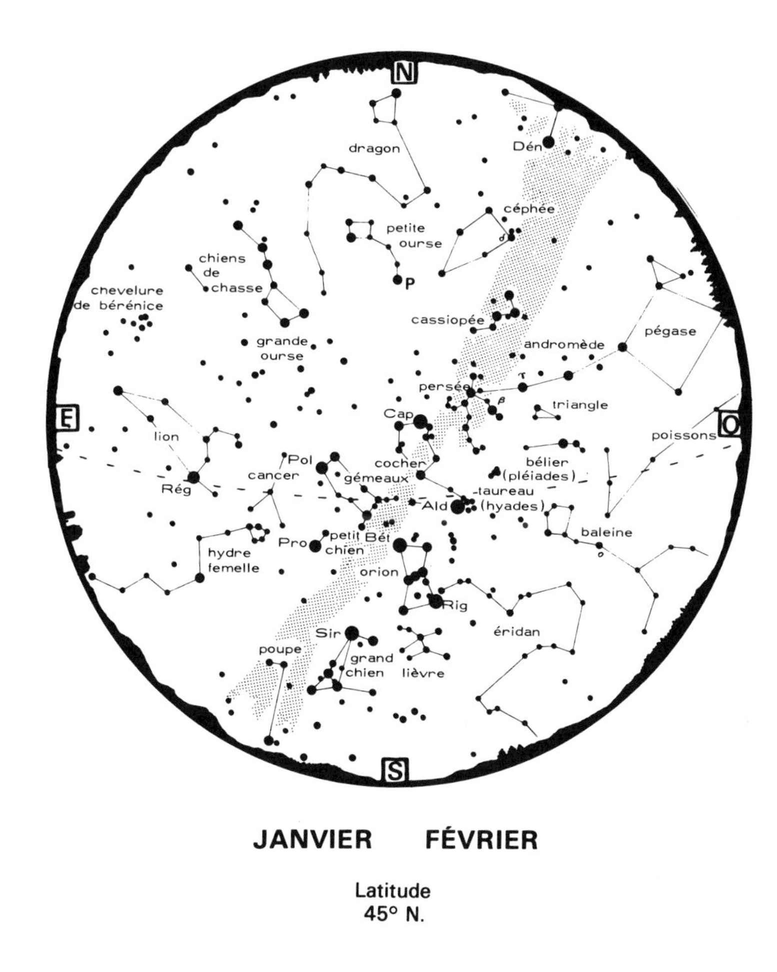

Figure 1.3: Carte du ciel durant les mois de janvier et février.

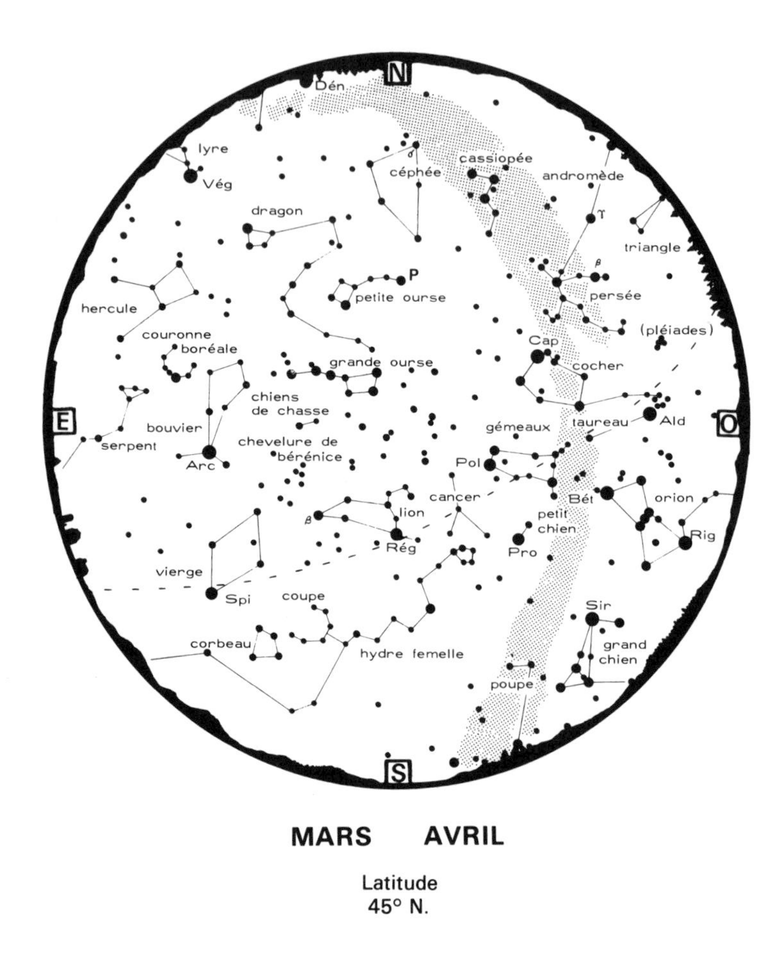

Figure 1.4: Carte du ciel durant les mois de mars et avril.

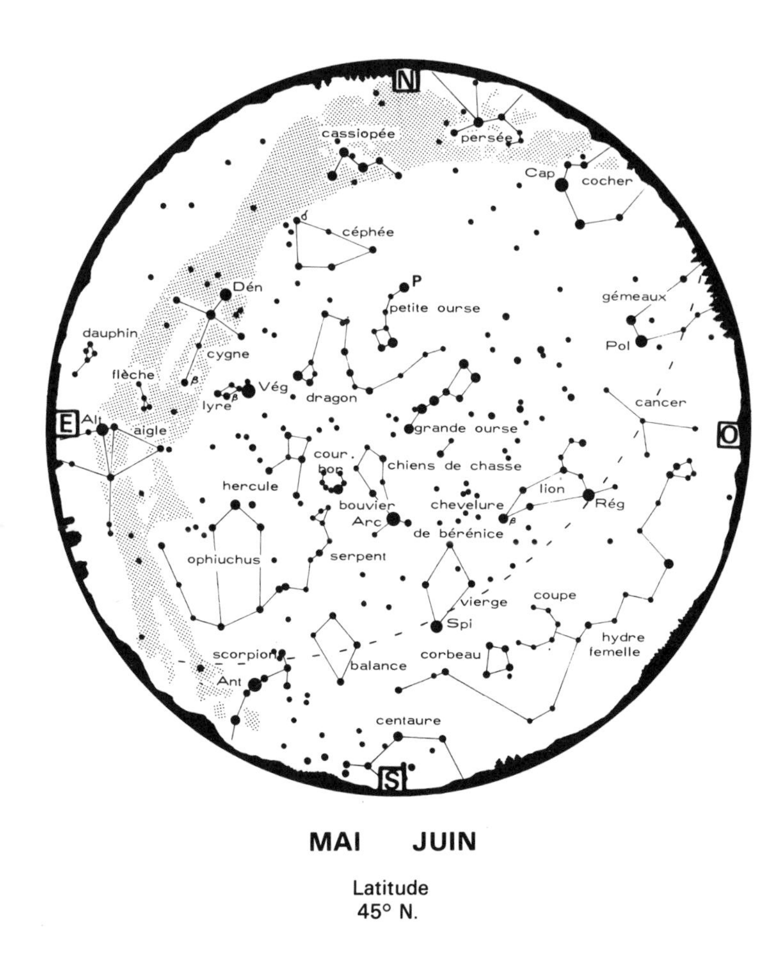

MAI JUIN

Latitude
45° N.

Figure 1.5: Carte du ciel durant les mois de mai et juin.

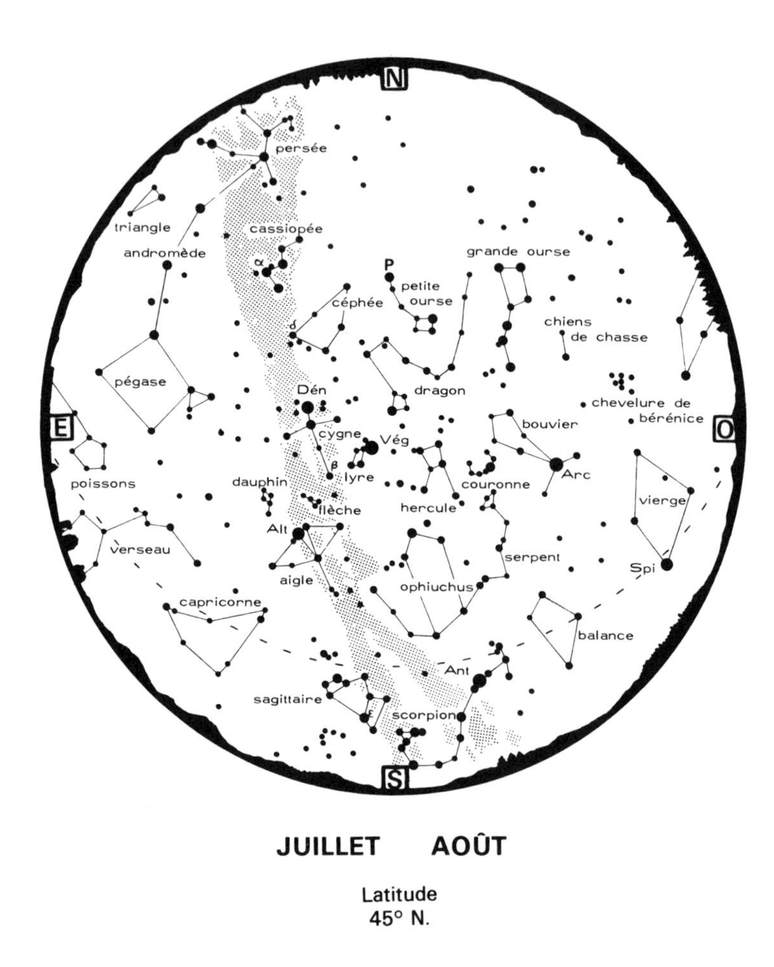

JUILLET AOÛT

Latitude
45° N.

Figure 1.6: Carte du ciel durant les mois de juillet et août.

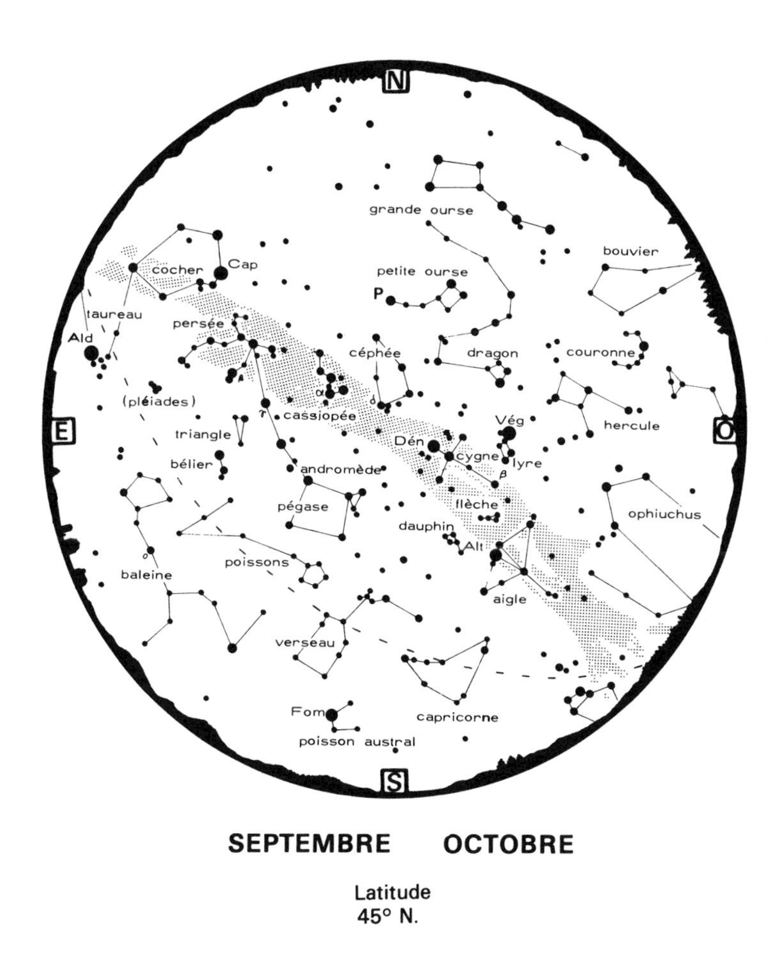

Figure 1.7: Carte du ciel durant les mois de septembre et octobre.

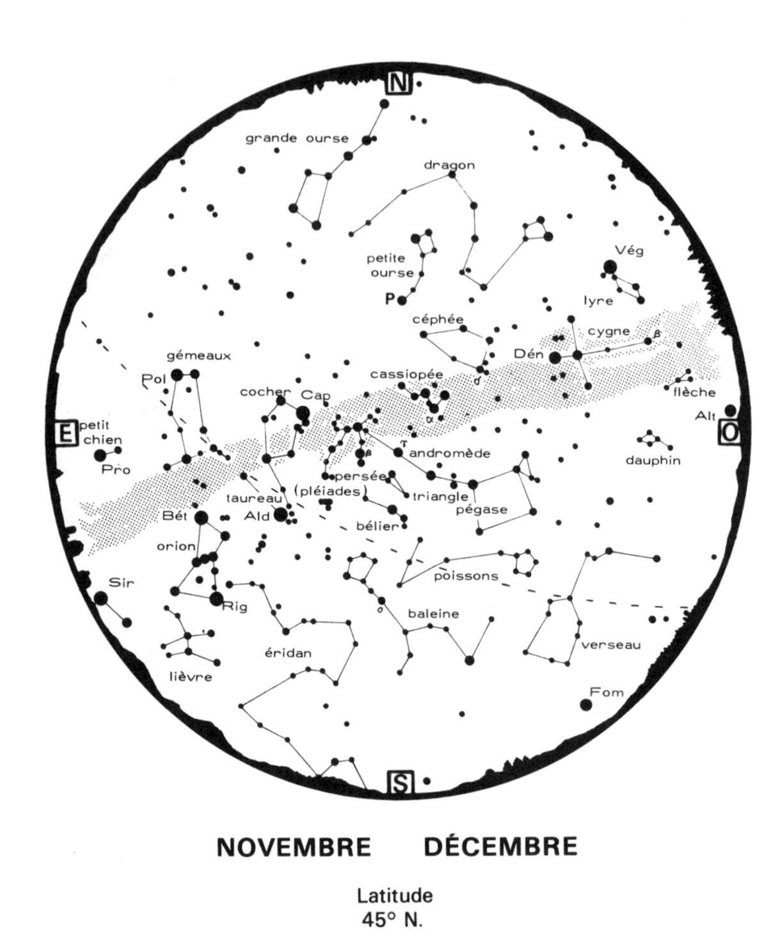

Figure 1.8: Carte du ciel durant les mois de novembre et décembre.

Jean Vallières

Phase totale de l'éclipse de Lune du 24 mai 1975. La teinte rouge est causée par la réfraction des rayons solaires à travers l'atmosphère de la Terre. Pour un observateur situé sur la Lune, le Soleil est caché derrière la Terre et le pourtour du globe terrestre apparaît comme un brillant anneau rouge. C'est un crépuscule faisant le tour de la Terre. Cet anneau de lumière éclaire la Lune en rouge durant la phase totale de l'éclipse.

Michel Dionne

Pierre Arpin

Deux aurores boréales photographiées par des astronomes amateurs. EN HAUT: Michel Dionne du club d'astronomie de Drummondville a obtenu cette photo dans la nuit du 3 au 4 avril 1979 avec un appareil-photo muni d'une lentille de 50 mm ouverte à f: 1,8 et une exposition de six secondes sur film 400 ASA.EN BAS: Pierre Arpin a photographié une aurore boréale devant la constellation de la Grande Ourse.

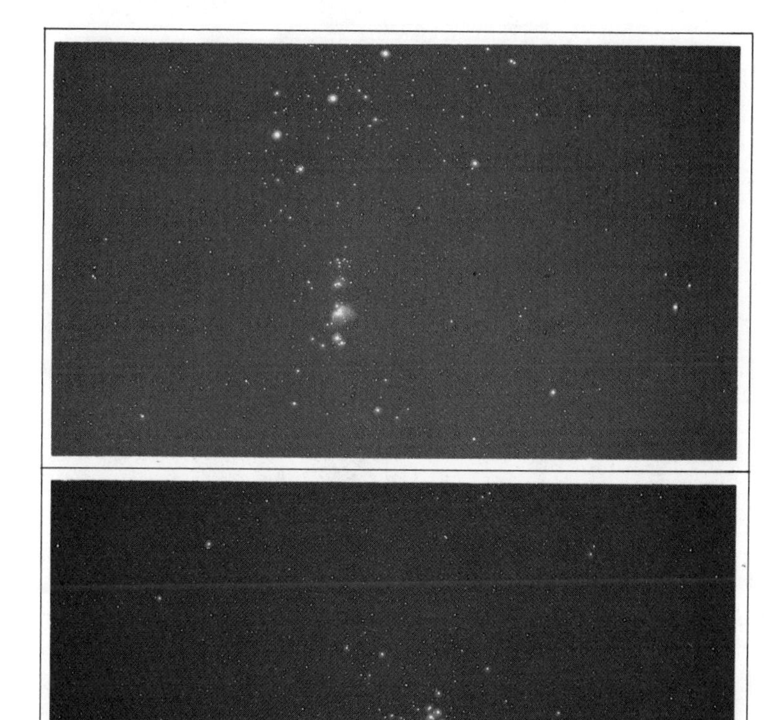

Jean Vallières

EN HAUT: portion de la constellation d'Orion située juste en dessous des trois étoiles de la ceinture du chasseur. La tache rose est celle de la grande nébuleuse d'Orion, M 42. EN BAS: l'amas stellaire des Pléiades, M 45, remarquable par la couleur bleue de ses plus brillantes étoiles. Les deux photos ont été prises sur une table équatoriale avec un appareil-photo muni d'un objectif de 135 mm de focale ouvert à f: 2,8. Original sur diapositive 160 ASA. Temps de pose de dix minutes.

Plan rapproché du cadran solaire de Michel Rebetz (une autre photo le montre en entier). Cette photo a été prise au solstice d'été, le 21 juin vers midi. Le Soleil étant alors à son altitude maxima dans le ciel, le sommet de l'ombre de l'analemme effleure juste la ligne centrale des heures.

LES PLUS BRILLANTES ÉTOILES		
Nom	**Magnitude**	**Couleur**
Sirius	-1.47	Blanche
Arcturus	-0.06	Orange
Véga	0.04	Blanche
Capella	0.05	Jaune
Rigel	0.14	Bleue
Procyon	0.37	Blanche
Bételgeuse	0.40	Rouge
Altair	0.77	Blanche
Aldébaran	0.86	Orange
Spica	0.91	Bleue
Antares	0.92	Rouge
Fomalhaut	1.15	Blanche
Pollux	1.16	Orange
Déneb	1.33	Blanche
Régulus	1.36	Bleue

Figure 1.9: Ce tableau donne la magnitude et la couleur des 15 plus brillantes étoiles visibles de l'hémisphère nord. Ce sont les seules étoiles dont il est possible de distinguer la couleur, les autres étant trop peu lumineuses.

POINTS DE REPÈRE

Même avec les cartes du cherche-étoiles, il peut être difficile de s'y retrouver quand on essaie pour la première fois de reconnaître les constellations sous un ciel clair et sans Lune ponctué de milliers d'étoiles. Heureusement, il existe des points de repère ou des configurations clés. Les quatre cartes des figures 1.10, 1.11, 1.12 et 1.13 montrent comment utiliser quatre des plus importantes configurations clés: la constellation de la Grande Ourse, le triangle d'été, le carré de Pégase et l'hexagone d'hiver.

La constellation de la Grande Ourse, la mieux connue de toutes, permet d'abord de trouver l'étoile Polaire en prolongeant la ligne qui rejoint les étoiles α et β de la Grande Ourse. Si on prolonge cette ligne dans le sens contraire, on tombe à peu près sur Régulus, dans la constellation du Lion. Le W ou le M formé par la constellation de Cassiopée est opposé à la Grande Ourse à partir de l'étoile Polaire. En prolongeant l'arc de cercle formé par le manche du chaudron, on arrive sur deux étoiles de première grandeur : Arcturus dans le Bouvier et Spica dans la Vierge.

Durant les belles soirées d'été, les premières étoiles qui apparaissent au crépuscule près du zénith sont Véga de la Lyre, Altair dans l'Aigle et Déneb dans le Cygne. Elles forment entre elles un triangle facile à retrouver. La Voie Lactée traverse cette région et les constellations qu'on y trouve : la croix du Cygne, l'Aigle et le Sagittaire. Ces trois dernières constellations montrent une profusion d'étoiles et plusieurs nébuleuses aux jumelles.

Le carré de Pégase est la configuration clé du ciel d'automne. On peut s'en servir pour retrouver par exemple la grande galaxie d'Andromède, M 31. À mi-chemin entre les constellations de Persée et de Cassiopée, on remarque aussi l'amas double de Persée.

Le ciel d'hiver dévoile ses splendeurs aux courageux que le froid ne repousse pas. En hiver, Orion est située à mi-chemin entre l'horizon sud et le zénith. Autour d'Orion, dans une région relativement compacte du ciel, on retrouve sept étoiles de première grandeur. L'étoile Bételgeuse est au centre d'un grand hexagone formé par les étoiles Sirius, Rigel, Aldébaran, Capella, Pollux et Procyon. Ceci permet d'un seul coup de retrouver une bonne demi-douzaine de constellations ainsi que l'amas des Pléiades.

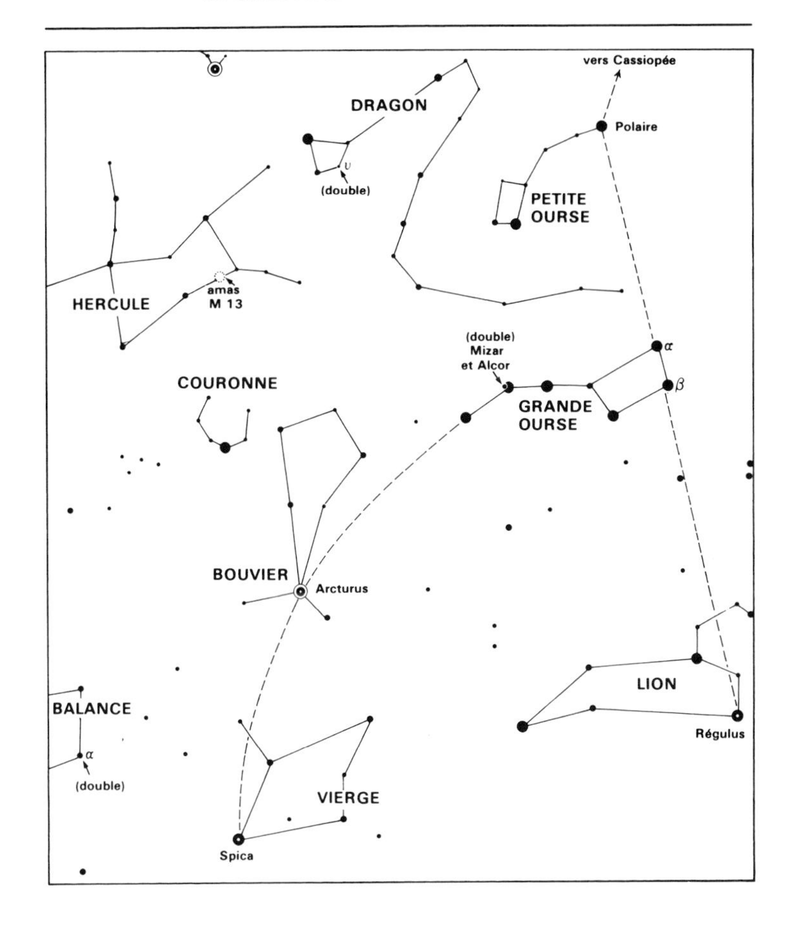

Figure 1.10: Dans le ciel du printemps, les étoiles α et β de la Grande Ourse servent de repères pour trouver d'un côté l'étoile Polaire et de l'autre côté Régulus dans le Lion. Les objets intéressants aux jumelles sont ici l'amas globulaire M 13 ainsi que les étoiles doubles Mizar et Alcor, α de la Balance et υ du Dragon.

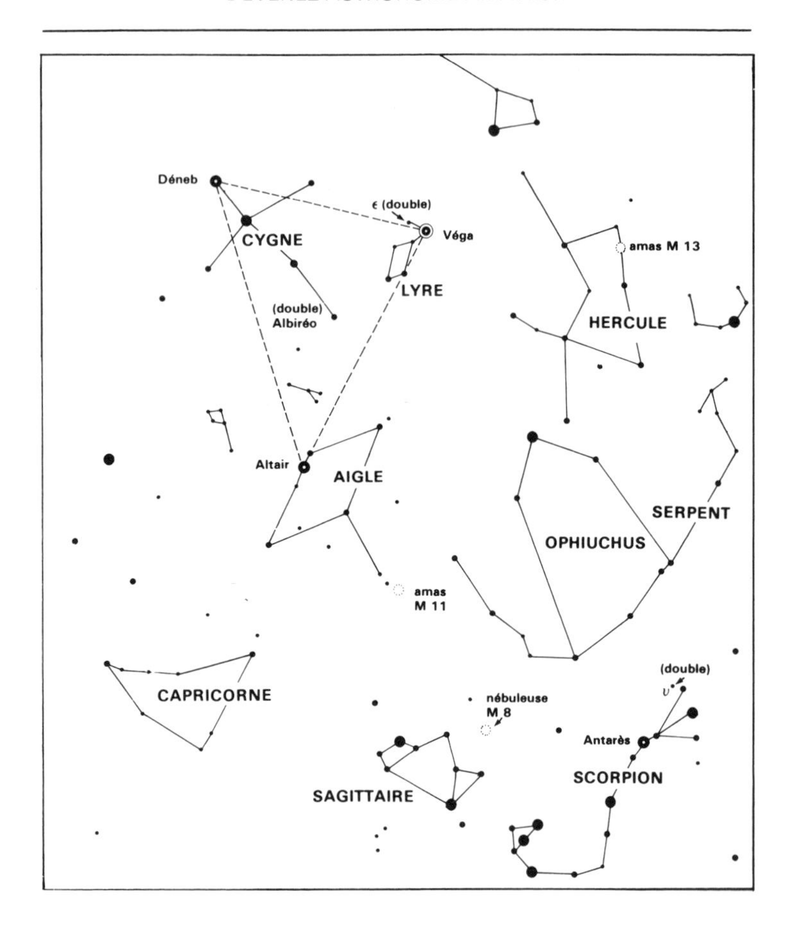

Figure 1.11 : Le triangle d'été nous sert de repère pour trouver les constellations du Cygne, de la Lyre et de l'Aigle, ainsi que plusieurs autres constellations de la belle saison. Aux jumelles, la région de la Voie Lactée dans le Sagittaire et dans le Cygne est fantastique. On y observe aussi les objets M 8, M 11 et M 13 ainsi que les étoiles doubles Albiréo et υ du Scorpion.

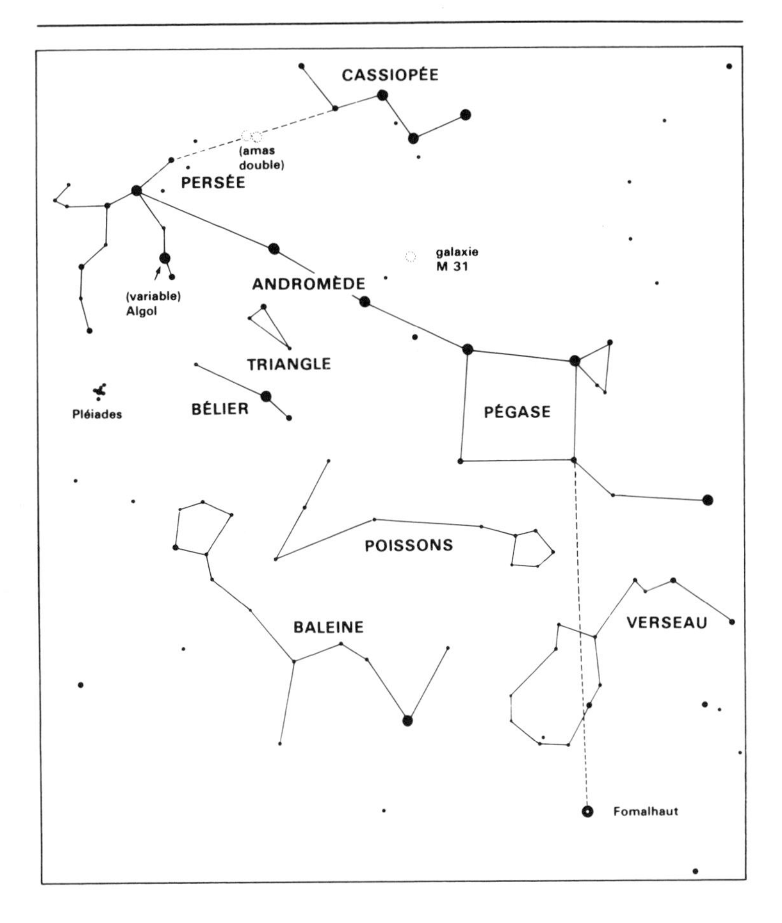

Figure 1.12: Le ciel d'automne est remarquable par la présence du carré de Pégase autour duquel on reconnaît les constellations de Cassiopée (en forme de W), Andromède, Persée, le Triangle, le Bélier et les Poissons. Les objets intéressants aux jumelles sont la galaxie M 31, l'amas double de Persée et, un peu plus tard dans la nuit, les Pléiades. L'étoile variable Algol s'observe très bien en automne.

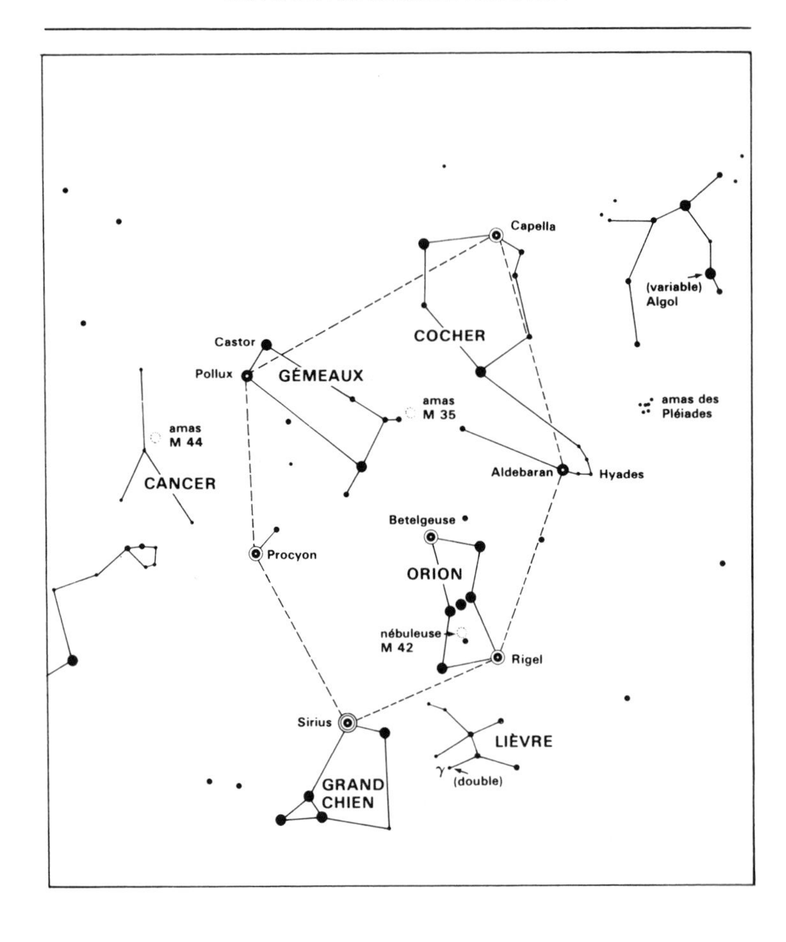

Figure 1.13: L'hexagone d'hiver contient des étoiles parmi les plus brillantes et les plus colorées du ciel. Avec des jumelles, cette région nous montre de beaux objets comme les amas M 44 et M 35 ainsi que les Pléiades et la grande nébuleuse d'Orion. On peut aussi y observer l'étoile double γ du Lièvre.

La grande galaxie d'Andromède, M 31, ainsi que ses deux galaxies satellites, 32 et NGC 205, photographiées par Richard Breton et Denis Carrier avec la caméra Schmidt de 200 mm d'ouverture de l'observatoire du Club d'astronomie du collège de Lévis. On a utilisé une exposition de cinq minutes sur film 103a-F. Sur cette photo, le Nord est en bas.

OBSERVATIONS ET TRAVAUX PRATIQUES

a) Observer à l'œil nu, puis aux jumelles, tous les astres et phénomènes décrits dans les sections précédentes.

b) Observer quelles sont les étoiles dont les couleurs sont visibles. Les bleues et les rouges sont les plus faciles.

c) Les couleurs des étoiles sont impressionnantes sur une photographie en couleurs ou une diapositive du ciel nocturne. Avec un appareil-photo monté sur un trépied bien fixe, photographier une région du ciel avec une exposition de dix minutes et une ouverture de f : 2,8 en utilisant un film couleur sensible.

d) Lors d'une pluie d'étoiles filantes, par exemple vers le 12 août, dessiner les trajectoires des étoiles filantes à l'aide de flèches sur les cartes puis retrouver de quel point du ciel irradient ces étoiles filantes en prolongeant les flèches pour trouver leur point de rencontre commun appelé radiant.

e) Pendant une période d'une semaine autour d'une pluie d'étoiles filantes, compter à chaque soir à la même heure si possible combien d'étoiles filantes peut voir un seul observateur en une heure. Faire un graphique de la variation du nombre à chaque soir et comparer avec le tableau 1.1.

f) Un oeil parfait voit sept étoiles dans les Pléiades. Mesurer son acuité visuelle en comptant le nombre d'étoiles qu'on peut voir dans cet amas.

g) Observer les variations de luminosité de l'étoile variable Algol près de son minimum d'éclat. Mesurer sa magnitude à l'œil nu par comparaison avec les magnitudes connues des étoiles voisines (figure 1.14). Une mesure à toutes les 15 minutes suffit pour obtenir un bon graphique de la magnitude en fonction du temps. Les dates des minima d'Algol sont données dans les éphémérides comme l'Annuaire astronomique de l'amateur publié par la Société d'astronomie de Montréal.

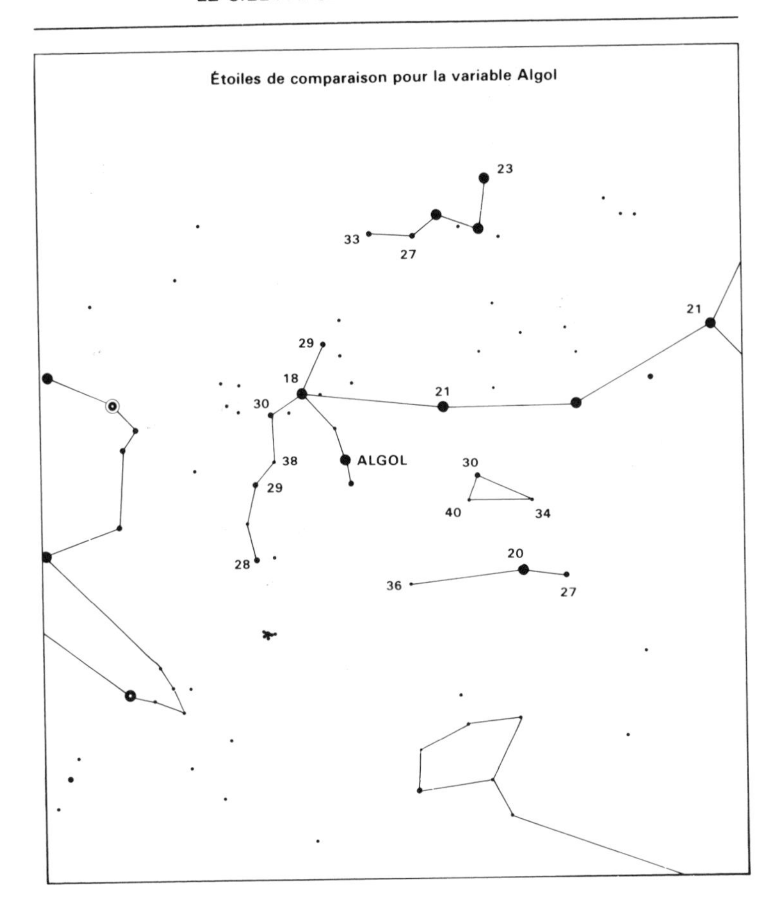

Figure 1.14: Il est possible avec un peu de pratique d'estimer visuellement avec une précision du dixième de magnitude la luminosité de l'étoile variable Algol au centre de cette carte. On y retrouve les magnitudes d'étoiles de comparaison dans les constellations de Persée, Andromède, Cassiopée, le Triangle et le Bélier. On a omis la virgule : par exemple 29 signifie une magnitude de 2,9.

2.
LE CIEL EN MOUVEMENT

LA TERRE OU LA SPHÈRE CÉLESTE ?

Qu'est-ce qui bouge et qu'est-ce qui est immobile ?Est-ce la Terre ou bien le reste de l'Univers ? Il s'agit là d'une question que les hommes se posaient il y a un bon bout de temps. Cette question qui nous semble aujourd'hui anodine fut des plus brûlantes à l'époque des Copernic, Galilée et Képler, où ceux qui tentaient d'y répondre risquaient les flammes du bûcher.

Nous savons maintenant que la Terre tourne sur elle-même en une journée et fait le tour du Soleil en une année. Pour un observateur éloigné de notre globe terrestre, la Terre, vue du pôle Nord, tourne sur elle-même dans le sens inverse des aiguilles d'une montre (figure 2.1a) et accomplit cette rotation en 23 heures 56 minutes et 4 secondes.

Un observateur situé sur la Terre ne sent pas ce mouvement de rotation. Comment peut-il alors le détecter ? À partir de la Terre, toutes les étoiles semblent être à la même distance de l'observateur. C'est comme si elles étaient toutes situées sur une immense sphère céleste dont le centre serait le centre de la Terre. Les premiers astronomes croyaient d'ailleurs que le globe terrestre était au centre de l'Univers limité par l'ultime sphère des étoiles fixes (figure 2.1b).

La Terre tourne sur elle-même autour d'un axe de rotation passant par les pôles Nord et Sud. Cet axe de rotation se prolonge jusqu'à l'imaginaire sphère céleste des étoiles et la rencontre en des points qu'on nomme les pôles célestes Nord et Sud (figure 2.1c). Le zénith est alors le point de la sphère céleste opposé au centre de la Terre par rapport à l'observateur. L'horizon est la ligne circulaire qui sépare la moitié visible de la moitié invisible de la sphère céleste.

Pour l'observateur situé sur la Terre, dans un système de références où la Terre semble fixe, c'est plutôt la sphère céleste qui paraît tourner autour de la Terre. Pour lui, le mouvement apparent de la sphère céleste se fait autour du même axe polaire Nord-Sud que l'axe de rotation de la Terre, à la même vitesse que la vitesse de rotation de la Terre, mais en sens contraire au sens de rotation de la Terre. Il est comme un voyageur sur un train en mouvement qui dépasse un train arrêté. Ce voyageur peut avoir l'impression que c'est l'autre train qui recule. À mesure que la sphère céleste accomplit sa rotation autour de la Terre, l'observateur voit les étoiles apparaître et monter à l'horizon est ou descendre et disparaître sous l'horizon ouest.

Étoiles circumpolaires

Les figures 2.1c et d sont dessinées pour un observateur situé à environ 45° de latitude Nord. C'est pourquoi l'observateur qui a toujours l'impression d'avoir la Terre sous ses pieds est situé à 45° du pôle Nord sur ces dessins. Pour lui, la sphère céleste tourne autour d'un axe polaire incliné de 45°. L'étoile Polaire étant située presque exactement sur le pôle céleste Nord, elle demeure toujours au même endroit même quand la sphère céleste tourne. Cet endroit est situé à mi-chemin entre le zénith et l'horizon nord pour nos latitudes comme on a pu aussi le constater sur les cartes du cherche-étoiles du premier chapitre.

À mesure qu'on s'éloigne un peu du pôle céleste Nord, les étoiles vont décrire de petits cercles autour de la Polaire dans le sens inverse des aiguilles d'une montre. En examinant bien la figure 2.1d, on remarque que la sphère céleste se

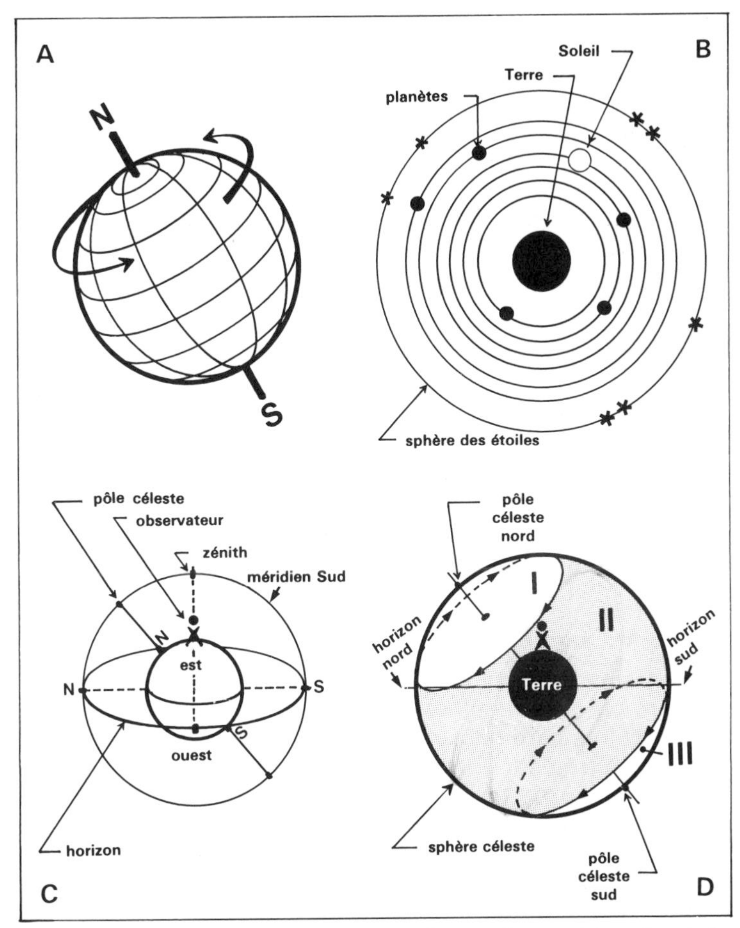

Figure 2.1 : **En haut à gauche** : sens de rotation anti-horaire de la Terre vue du pôle Nord. **En haut à droite** : représentation du système solaire tel que conçu par les Anciens. **En bas à gauche** : sphère céleste telle que vue par un observateur situé à une latitude moyenne et position du méridien sud. **En bas à droite** : les trois régions de la sphère céleste : I est la région circumpolaire nord, II est la région équatoriale et III est la région circumpolaire sud.

divise en trois régions bien distinctes pour un observateur situé à une latitude donnée :

I. Région *circumpolaire nord* des étoiles qui ne se couchent jamais et qui sont toujours au-dessus de l'horizon (même en plein jour lorsque la lumière du Soleil nous empêche de les voir).
II. Région *équatoriale* des étoiles qui peuvent se lever et se coucher car elles peuvent traverser la ligne de l'horizon.
III. Région *circumpolaire sud* des étoiles qui ne sont jamais visibles car elles ne se lèvent jamais au-dessus de l'horizon.

Les constellations les plus connues de la région circumpolaire nord et qui sont visibles toutes les nuits de l'année sont la Petite Ourse, la Grande Ourse, le Dragon, Céphée et Cassiopée. Les constellations du zodiaque, le Soleil, la Lune et les planètes se trouvent toujours dans la région équatoriale. Enfin la région III contient des constellations comme la Croix du Sud et la Dorade qui n'apparaissent sur aucune des cartes du chapitre premier puisqu'elles ne sont jamais visibles du Québec.

Les points cardinaux

Les dessins de la figure 2.2 représentent des expositions photographiques de plusieurs minutes prises à chacun des quatre points cardinaux du ciel à l'aide d'un appareil-photo fixé sur un trépied. Durant la pose, les étoiles entraînées par la rotation diurne de la sphère céleste ont bougé selon les trajectoires qui se sont imprimées sur chaque photo. Les expositions étant de deux heures, les étoiles décrivent des arcs de cercle de 30° autour du pôle céleste sur la photo dirigée vers le nord.

LE CIEL SOUS D'AUTRES LATITUDES

Le ciel vu de Sept-Îles

Imaginons maintenant la sphère céleste coupée selon un plan passant par l'horizon nord, le zénith, l'horizon sud et

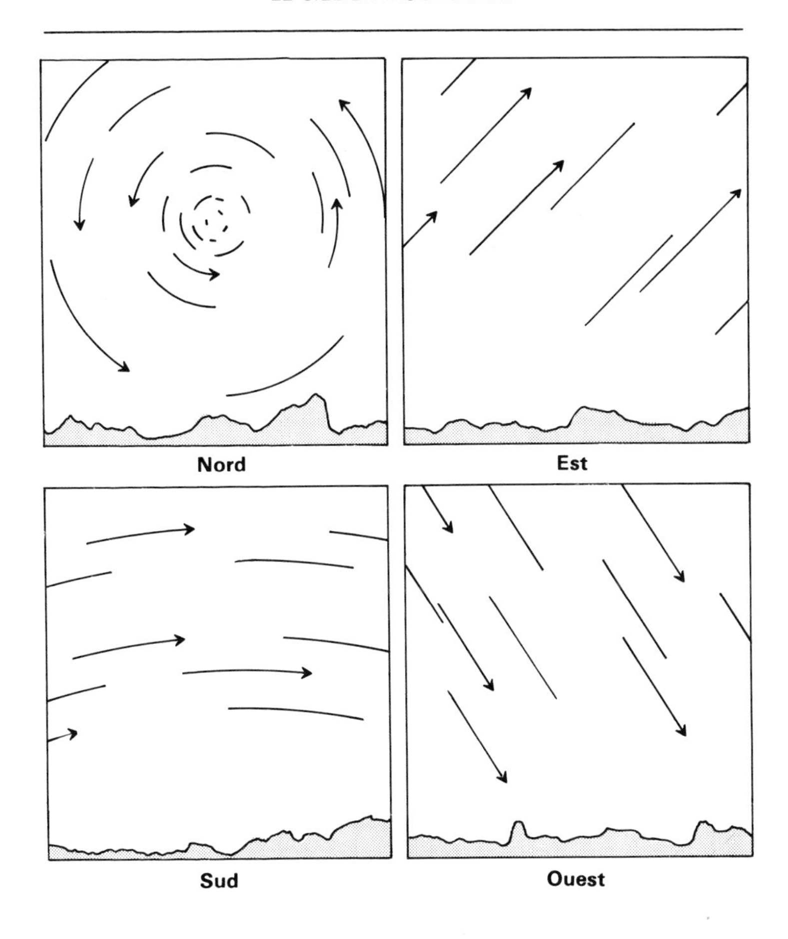

Figure 2.2: Trajectoires des étoiles durant des expositions photographiques prises à chacun des quatre points cardinaux. Sur la photo prise vers le nord, un temps d'exposition de deux heures laisse voir des arcs de cercles de 30 degrés.

Pierre Lemay

Deux types d'observatoires construits par des astronomes amateurs. EN HAUT: observatoire à toit coulissant à Indian River, Ontario, appartenant au centre d'Ottawa de la S.R.A.C. EN BAS: observatoire en cylindre rotatif construit par Réal Manseau de Drummondville, à l'aide d'un réservoir en fibre de verre recouvert de résine.

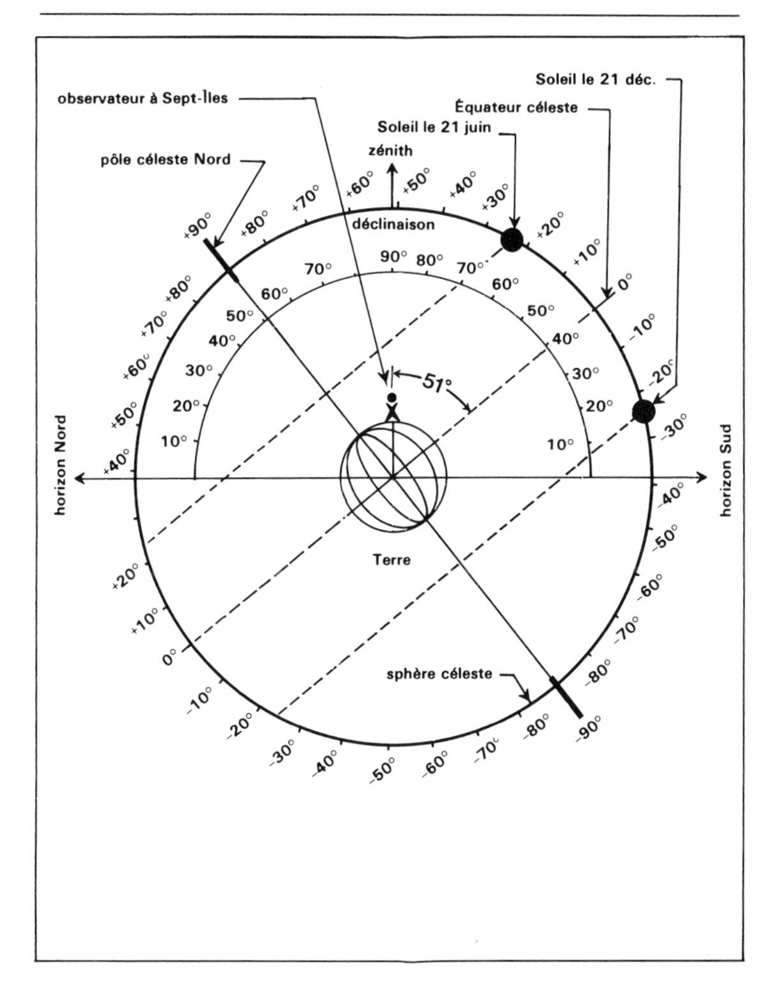

Figure 2.3: Représentation de la sphère céleste pour un observateur situé à la latitude de Sept-Îles, soit 51 degrés nord. Remarquer que l'étoile Polaire est à 51 degrés au-dessus de l'horizon nord et que les étoiles passant par le zénith de Sept-Îles sont à 51 degrés de déclinaison.

naturellement par le centre commun de la Terre et de la sphère céleste. On obtient alors le dessin de la figure 2.3 dans le cas d'un observateur situé à Sept-Îles (latitude = 51° nord). Sur ce dessin, l'équateur céleste est la projection de l'équateur terrestre sur la sphère céleste. La déclinaison d'une étoile sur la sphère céleste est l'équivalent de la latitude d'une ville sur le globe terrestre. La déclinaison de l'étoile Polaire est de +89°. La déclinaison du Soleil varie de +23,4° le 21 juin à −23,4° le 21 décembre. L'altitude d'un astre est l'angle entre l'horizon et cet astre. L'altitude du zénith est par exemple de 90°.

Si on examine cette figure de plus près, on peut en tirer certaines conclusions :

1. L'altitude de l'étoile Polaire au-dessus de l'horizon nord est de 51°. Elle est égale à la latitude du poste d'observation. Ceci est vrai pour toute autre latitude.
2. Les étoiles qui passent par le zénith ont la même déclinaison (+ 51°) que la latitude du poste d'observation.
3. L'altitude du Soleil au-dessus de l'horizon sud à midi est égale au complément de la latitude du poste d'observation, soit 39°, plus la déclinaison du Soleil à cette époque de l'année, ce qui donne :
   39° + 23,4° = 62,4° le 21 juin
   39° + 0° = 39° le 22 septembre
   39° − 23,4° = 15,6° le 21 décembre
   39° + 0° = 39° le 21 mars

On voit donc, d'après cette figure, que le Soleil monte plus haut en été qu'en hiver et, en conséquence, il demeure plus longtemps visible au-dessus de l'horizon en été.

Le ciel exotique

En imaginant la même coupe que celle de la figure précédente pour d'autres latitudes, on peut trouver ce qu'il y a de particulier ou ce qui change quand on voyage à la surface de la Terre. La figure 2.4 nous montre ce qui se produit en quelques sites choisis.

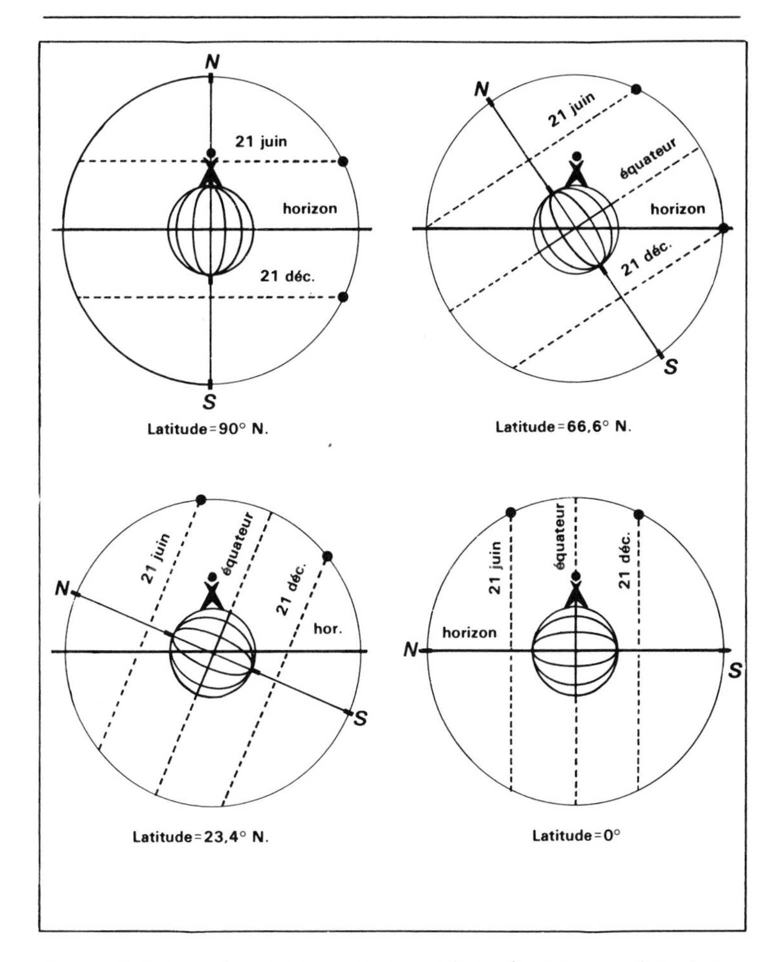

Figure 2.4: Représentations de la sphère céleste pour des observateurs situés à diverses latitudes. **En haut à gauche**: observateur situé au pôle Nord (90° N.). **En haut à droite**: observateur situé sur le cercle polaire Nord (66,6° N.). **En bas à gauche**: observateur situé au tropique du Cancer (23,4° N.). **En bas à droite**: observateur situé à l'équateur (0°).

Pour un observateur situé au pôle Nord, l'étoile Polaire est toujours au zénith et on n'y voit continuellement que la même moitié du ciel. Durant une journée, le Soleil décrit un cercle parallèle à l'horizon. Le 21 juin, ce cercle est à une altitude fixe de 23,4° au-dessus de l'horizon et le Soleil est visible toute la journée. Le Soleil est d'ailleurs continuellement visible du 21 mars au 22 septembre. Puis, du 22 septembre au 21 mars, il demeure toujours sous l'horizon et ne se lève jamais.

Sur le cercle polaire nord (latitude = 66,6° N), on observe le Soleil de minuit seulement au solstice d'été, le 21 juin. De plus, le Soleil apparaît tout juste à l'horizon sud à midi au solstice d'hiver, le 21 décembre.

Au tropique du Cancer (latitude = 23,4° N), on a le Soleil au zénith à midi seulement au solstice d'été. À cette date, il n'y a théoriquement pas d'ombre. L'étoile Polaire est à seulement 23,4° au-dessus de l'horizon nord.

Enfin, à l'équateur (latitude = 0°), l'étoile Polaire est juste sur l'horizon nord et le pôle céleste Sud apparaît sur l'horizon sud. C'est le seul endroit de la Terre où on peut voir la sphère céleste au complet au cours de l'année. Le Soleil est au zénith à midi aux équinoxes de printemps et d'automne, les 21 mars et 22 septembre. À l'équateur, la durée du jour égale celle de la nuit durant toute l'année.

Dans l'hémisphère sud de la Terre, on retrouve des situations analogues à celles de l'hémisphère nord mais renversées quant aux saisons.

LES JOURS ET LES HEURES

Jour solaire et rotation terrestre

Tout le monde sait que la durée du jour solaire moyen, c'est-à-dire le temps moyen écoulé entre deux passages consécutifs du Soleil au méridien sud de la sphère céleste, est de 24 heures. Le méridien sud (figure 2.1c) est le quart de cercle qui relie le zénith à l'horizon sud. Pourtant nous avons déjà dit que la Terre accomplit une rotation complète de 360°

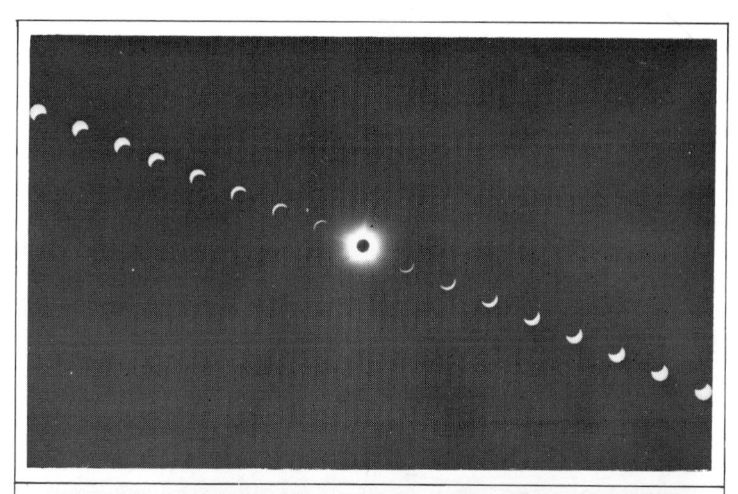

La photographie multiple nous permet d'obtenir sur une même image les différentes phases d'un phénomène. EN HAUT : éclipse totale de Soleil du 7 mars 1970 photographiée (par François Valières) à toutes les six minutes avec un objectif de 100 mm de focale. EN BAS : éclipse de Lune du 12 avril 1968 photographiée à toutes les cinq minutes par l'auteur avec le même appareil.

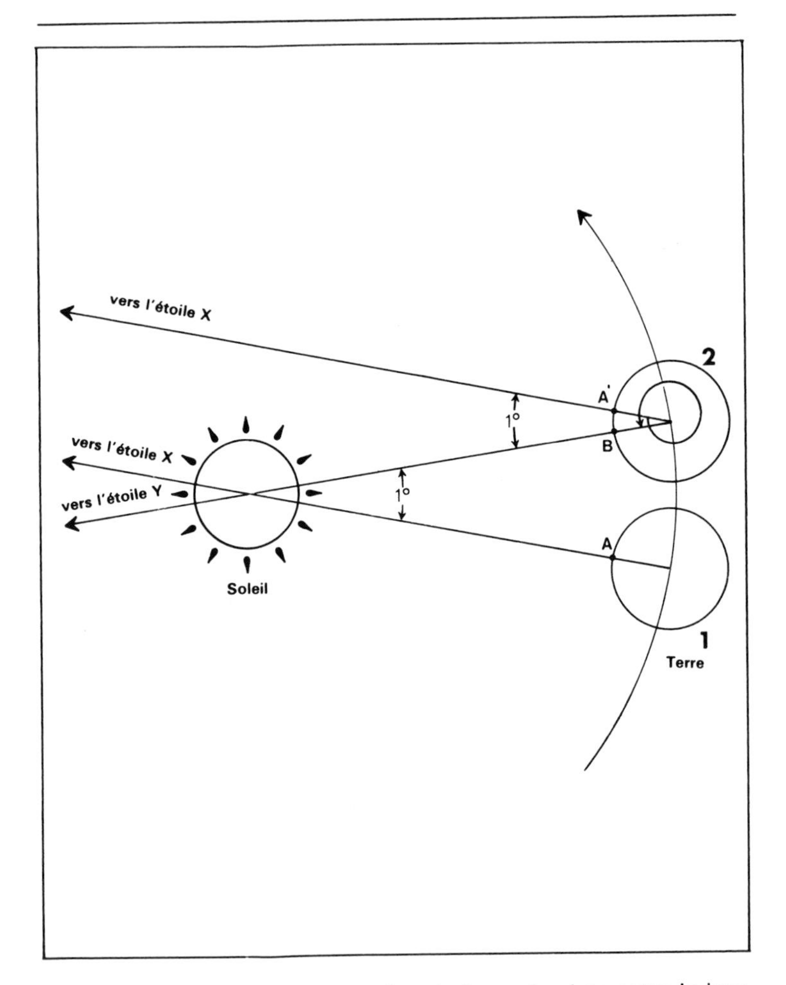

Figure 2.5: Cette figure montre la relation qui existe entre le jour solaire et le jour sidéral. Le jour solaire moyen est l'intervalle de temps moyen pour que l'observateur situé au point A devant le Soleil se retrouve de nouveau devant le Soleil au point B le lendemain. Cet intervalle de temps est de 24 heures.

sur elle-même en 23 heures 56 minutes et 4 secondes. D'où vient la différence de 3 minutes et 56 secondes ? Elle vient du fait qu'en une journée solaire de 24 heures, la Terre fait un peu plus qu'un tour complet sur elle-même, comme le montre la figure 2.5.

Le premier jour, la Terre est à la position 1 de son orbite et un observateur au point A voit le Soleil à midi au méridien sud devant une certaine étoile X. Le lendemain, la Terre s'est déplacée au point 2 de son orbite. Après une rotation complète de 360° en 23 heures 56 minutes et 4 secondes, l'observateur est rendu au point A¹. L'étoile X est de nouveau au méridien sud mais pas le Soleil. L'observateur devra attendre encore 3 minutes et 56 secondes pour se retrouver au point B où il verra de nouveau le Soleil culminer au mérindien sud, mais devant une autre étoile Y cette fois. Puisque la Terre accomplit une révolution orbitale complète de 360° en 365¼ jours, elle se déplace d'un peu moins de un degré par jour (du point 1 au point 2 sur la figure 2.5). À cause de ce mouvement terrestre, en une journée, le Soleil semblera aussi se déplacer de un degré devant les étoiles de la sphère céleste. La première journée, il est devant l'étoile X ; le lendemain, il cache l'étoile Y.

Ce mouvement apparent du Soleil se fait sur une trajectoire qu'on nomme écliptique et qui est représentée en traits sur les cartes du premier chapitre. À chaque jour, il se déplace de près de un degré de sorte qu'au bout d'un an, il revient au même point. L'écliptique traverse les douze constellations du zodiaque.

Équation du temps et cadran solaire

Un cadran solaire mesure le temps d'après la position du Soleil dans le ciel. À chaque jour, on dit qu'il est midi, temps solaire vrai local, quand le Soleil culmine exactement au méridien sud. Cependant, à cause de l'inclinaison de l'axe de rotation de la Terre et de son mouvement non uniforme sur une orbite elliptique, l'intervalle de temps entre deux culminations successives n'est pas toujours le même. À certaines époques de l'année, il est plus court qu'à d'autres. Il en résulte que durant l'année les jours solaires vrais ne sont pas tous de la même longueur.

On doit donc faire une correction pour transformer le temps solaire vrai, indiqué par un cadran solaire, en temps solaire moyen donné par une montre. En effet, l'heure de nos montres avance toujours à la même allure. Elle est basée sur un mouvement moyen du Soleil, c'est-à-dire en supposant que l'intervalle entre deux culminations successives du Soleil est toujours le même, soit 24 heures comme on l'a vu. Cette correction, nécessaire pour transformer l'heure du cadran solaire en l'heure d'une montre, se nomme « équation du temps ». La figure 2.6 donnant la déclinaison du Soleil et l'équation du temps au cours de l'année se nomme « analemme ».

Fuseaux horaires et temps civil

À la surface de la Terre, la position d'un endroit peut être donnée d'après ses coordonnées géographiques : longitude et latitude (voir la figure 2.7). La Terre est divisée en méridiens et en parallèles. Le parallèle d'origine, à zéro degré de latitude, est l'équateur terrestre. Le méridien d'origine, à zéro degré de longitude, passe par Greenwich, Angleterre. Tous les méridiens se croisent aux pôles. Les coordonnées géographiques de Montréal sont par exemple:

longitude = 73,5° à l'ouest de Greenwich
latitude = 45,5° au nord de l'équateur

Le Soleil est en même temps au méridien sud seulement pour des endroits de la Terre situés sur le même méridien de longitude. Cela signifie que si l'on change de longitude, l'instant de la culmination du Soleil change. Si on se déplace vers l'est, le Soleil se lève plus tôt, culmine plus tôt et se couche plus tôt. Si on se déplace vers l'ouest, tous ces phénomènes se produisent plus tard. En réalité, cette différence de temps est de quatre minutes par degré de longitude. Pour tout dire, aussitôt que l'on se déplace d'un

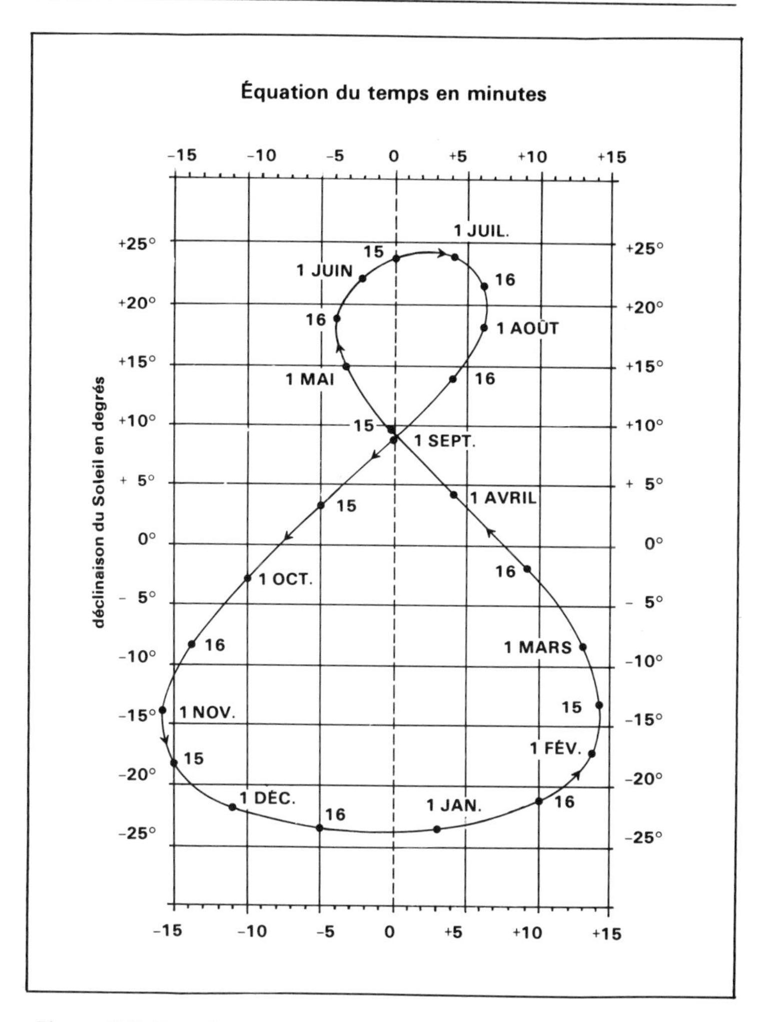

Figure 2.6: Représentation graphique de l'analemme. L'analemme prend sa forme en «8» à partir d'un graphique de la déclinaison du Soleil en fonction de l'équation du temps.

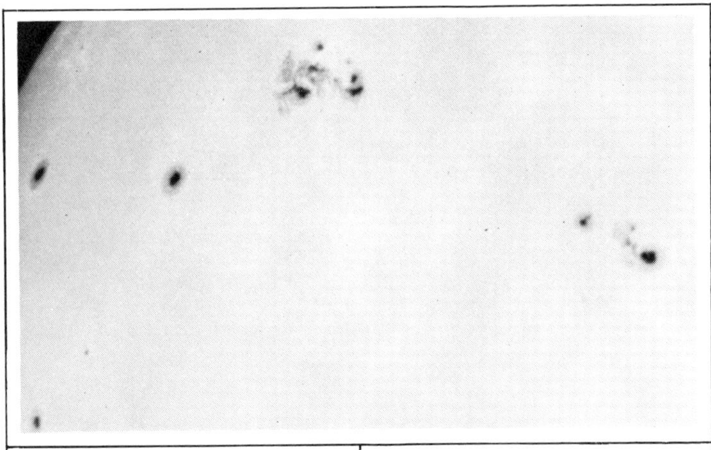

EN HAUT : photo montrant les facules et les taches solaires prise par Damien Lemay de Rimouski avec un télescope de 200 mm d'ouverture (exposition de $^{1}/_{1\,000}$ sec. sur film Plus-X et filtre de densité 2,5). EN BAS : deux modèles de cadrans solaires. À GAUCHE : celui de Réal Manseau de Drummondville. À DROITE : celui de Michel Rebetez de Tracy utilisant un gnomon en forme d'analemme pour faire automatiquement la correction de l'équation du temps.

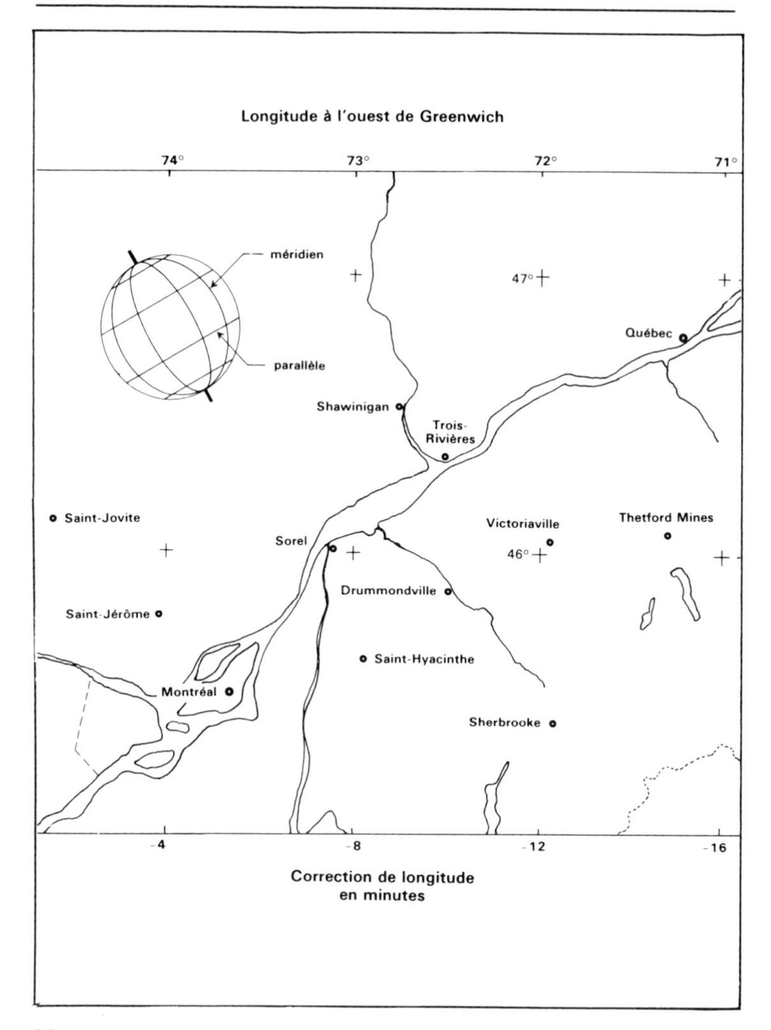

Figure 2.7: Cette carte permet à la fois de connaître les coordonnées géographiques de quelques endroits du Sud-Est du Québec et de mesurer la correction de longitude pour chacun de ces endroits.

poil vers l'est ou vers l'ouest, on devrait continuellement ajuster sa montre pour rester en accord avec le Soleil.

Pour éviter ce désagrément, on a divisé la Terre en 24 fuseaux horaires de 15 degrés de largeur chacun en moyenne ($24 \times 15° = 360°$). On conserve la même heure à l'intérieur de chaque fuseau et on ajuste sa montre en variant d'une heure exactement quand on change de fuseau. Ainsi, à l'intérieur d'un même fuseau, l'accord avec le Soleil se tient en moyenne en dedans de plus ou moins 30 minutes car l'heure solaire moyenne est égale à l'heure de nos montres au centre d'un fuseau.

Le centre de notre fuseau horaire, celui de l'heure normale de l'Est, se situe sur le 75e degré de longitude à l'ouest de Greenwich. C'est pourquoi il y a cinq heures de différence entre nous et Greenwich ($5 \times 15° = 75°$). Les horloges de la figure 2.8 indiquent l'heure de chaque fuseau horaire quand il est midi à Greenwich. Ainsi, il est sept heures du matin chez nous à ce moment.

En résumé, pour transformer le temps solaire vrai local donné par le cadran solaire en temps civil de nos montres, il faut faire deux corrections : la correction de l'équation du temps et la correction de longitude pour celui qui n'est pas au centre du fuseau horaire. Par exemple, le 14 février à Saint-Hyacinthe, l'équation du temps est de 14 minutes et la correction de longitude est de moins huit minutes, ce qui donne une correction totale de six minutes. Quand le Soleil culmine au méridien sud le 14 février à Saint-Hyacinthe, une montre juste indique midi six, heure normale de l'Est.

Le temps universel

Il existe de nombreux phénomènes astronomiques visibles de plusieurs endroits de la Terre ; les éclipses, les occultations, les étoiles variables en sont des exemples. Lorsque ces phénomènes sont visibles de plusieurs fuseaux horaires, il faut absolument utiliser une heure universelle de référence. C'est pourquoi, en astronomie, on verra très souvent les heures des phénomènes données en temps universel (T.U.).

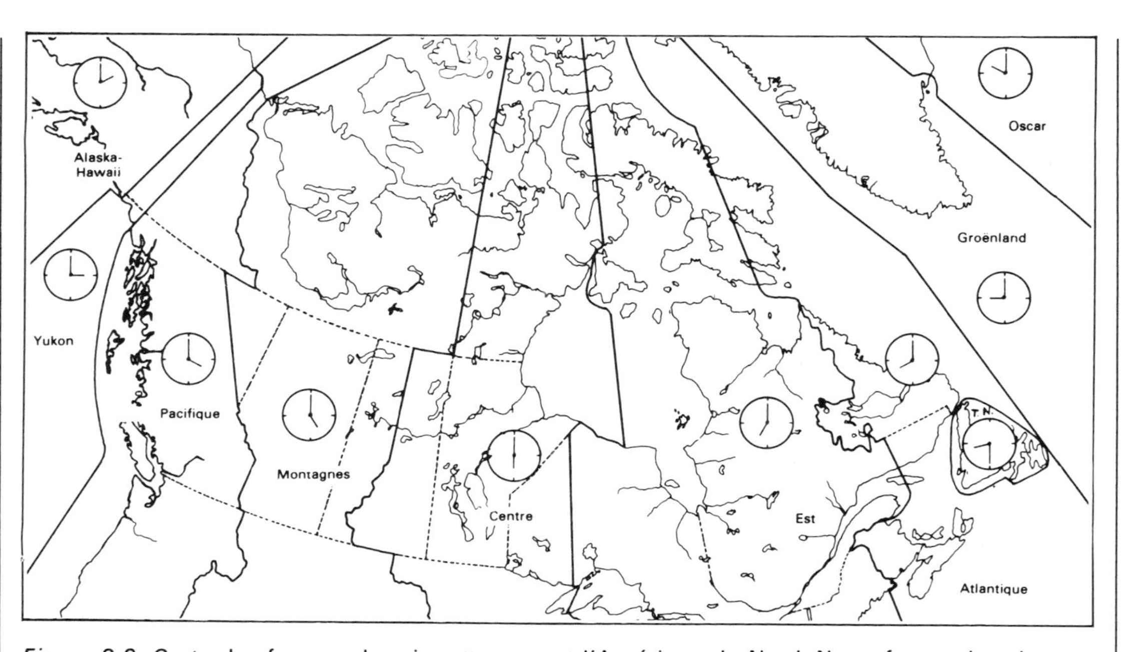

Figure 2.8: Carte des fuseaux horaires traversant l'Amérique du Nord. Notre fuseau horaire est celui de l'heure normale de l'Est, en retard de cinq heures sur le temps universel. Les horloges indiquent l'heure qu'il est dans chaque fuseau quand il est midi à Greenwich. Chez nous, il est sept heures du matin à ce moment.

Le temps universel est tout simplement l'heure de Greenwich. Pour transformer le temps universel en heure normale de l'Est, on doit soustraire exactement cinq heures.

Le signal horaire

Il est possible d'obtenir l'heure exacte avec une très grande précision à l'aide d'un poste récepteur à ondes courtes. Le signal horaire est transmis continuellement sur plusieurs fréquences. La station canadienne CHU donne l'heure normale de l'Est sur les fréquences 3 330 kHz, 7 335 kHz et 14 670 kHz. La station américaine WWV donne l'heure de Greenwich (Greenwich mean time), c'est-à-dire le temps universel, sur les fréquences 2,5, 5, 15 et 20 MHz.

L'heure avancée

L'heure avancée ou heure d'été fut introduite dans le but d'allonger la période d'éclairage naturel à la fin des journées de la belle saison. Au Québec, l'heure avancée ne se rencontre qu'à l'ouest du 63e degré de longitude, depuis le premier dimanche d'avril jusqu'au dernier dimanche d'octobre. Dans les éphémérides astronomiques, on ne tient pas compte de l'heure avancée. Les calculs et les prédictions se font toute l'année en utilisant l'heure normale ou le temps universel.

LES COORDONNÉES CÉLESTES

Comme le globe terrestre, la sphère céleste possède des parallèles et des méridiens. Les cartes célestes possèdent un quadrillage semblable à celui des cartes géographiques. On peut donc assigner des coordonnées célestes au Soleil, à la Lune, aux planètes et aux étoiles, comme on assigne des coordonnées géographiques à un site terrestre.

Durant une vie humaine, les étoiles semblent conserver les mêmes positions les unes par rapport aux autres et les constellations ne se déforment pas. Les coordonnées stellaires ne changent donc pratiquement pas et une carte d'étoiles est bonne pour plusieurs dizaines d'années. D'autre part, les coordonnées du Soleil, de la Lune et des planètes changent continuellement, ces astres étant en mouvement apparent rapide. C'est pourquoi ces objets n'apparaissent pas sur des cartes célestes destinées à un usage de longue durée.

La déclinaison

Comme on l'a vu, la déclinaison d'un astre sur la sphère céleste est l'équivalent de la latitude d'une ville sur le globe terrestre. La déclinaison de l'équateur céleste est de zéro degré. Le pôle céleste Nord est à +90° de déclinaison et le pôle céleste Sud est à −90°. La déclinaison se mesure en degrés, comme la latitude d'ailleurs.

L'ascension droite

L'ascension droite d'un astre sur la sphère céleste est l'équivalent de la longitude d'une ville sur le globe terrestre. On a vu que la longitude se mesurait en degrés à partir d'un méridien de référence passant par Greenwich, et situé à zéro degré de longitude. Pour faire le tour de la Terre, qui est de 360°, on mesure de zéro à 180° à l'est de Greenwich et de zéro à 180° à l'ouest de Greenwich. Pour ce qui est de l'ascension droite, on a choisi de répartir la sphère céleste en 24 heures, chacune de ces heures se divisant elle-même en minutes puis en secondes. Il s'agit pourtant non pas de temps mais de coordonnées de position, même si elles sont mesurées en unités de temps. On verra pour quelle raison on a fait ce choix.

Dans le ciel, il n'y a pas de Greenwich. Il y a cependant son équivalent. Le méridien céleste d'origine, situé exactement à zéro heure d'ascension droite, est celui qui passe par le point «vernal», point où se trouve le Soleil à l'équinoxe de printemps, le 21 mars de chaque année. Ce point est situé dans la constellation des Poissons et se trouve en même temps sur l'équateur céleste.

Les coordonnées célestes sont indiquées sur les cartes des coins de ciel sélectionnés pour l'observation au télescope à la fin du chapitre 5. Par exemple, l'étoile Déneb (α du Cygne) est située à +45,2° de déclinaison et à 21 heures 41 minutes d'ascension droite.

Le temps sidéral

Avec le Soleil comme repère, on obtenait le temps solaire. Avec les étoiles, on obtient le temps sidéral. Le jour sidéral est le temps écoulé entre deux passages consécutifs d'une même étoile au méridien sud. Le Soleil n'étant pas fixe par rapport aux étoiles, le jour sidéral et le jour solaire moyen n'ont pas la même durée. En étudiant la figure 2.5, on a vu que le jour solaire moyen durait 24 heures tandis que le jour sidéral durait 23 heures 56 minutes et 4 secondes. Le jour sidéral est quand même divisé en 24 heures sidérales qui sont ainsi toutes un peu plus courtes que les heures solaires.

On dit qu'il est minuit (0 heure) temps sidéral quand les étoiles situées à zéro heure d'ascension droite passent au méridien sud. Il est une heure temps sidéral quand les étoiles situées à une heure d'ascension droite passent au méridien sud, et ainsi de suite. On voit ainsi pourquoi le temps sidéral est si utilisé par les astronomes et pourquoi on a choisi de diviser la sphère céleste en 24 heures d'ascension droite plutôt qu'en 360 degrés. Il se produit en effet une égalité intéressante : l'heure sidérale à un poste d'observation est toujours égale à l'ascension droite des étoiles en train de passer en méridien sud de ce poste. De plus, quelle que soit l'époque de l'année, à la même heure sidérale, le ciel étoilé se présente toujours de la même façon, avec les mêmes constellations visibles dans les mêmes directions.

C'est seulement le 22 septembre, à l'équinoxe d'automne, que l'heure sidérale est égale à l'heure solaire. Par la suite, le retard du temps solaire moyen sur le temps sidéral augmente de trois minutes et 56 secondes par jour, soit deux heures par mois. Au bout d'un an, ce retard accumulé donne une journée. Le 22 octobre par exemple, l'heure solaire retarde de deux heures sur l'heure sidérale. À cette date, l'étoile Déneb, qui est à 20h 41 d'ascension droite, passe au méridien à 20h 41 heure sidérale, soit 18h 41 heure solaire moyenne (20h 41 moins 2h). Si le phénomène est observé de Saint-Hyacinthe, il ne reste qu'à faire la correction de longitude, moins huit minutes, pour obtenir l'heure normale. À Saint-Hyacinthe donc, le 22 octobre, l'étoile Déneb culmine au méridien sud à 18h 33 heure normale de l'Est (soit 18h 41 moins huit minutes). En connaissant l'ascension droite d'un astre, il est possible de prévoir l'heure de son passage au méridien sud à chaque jour et pour n'importe quel poste d'observation.

OBSERVATIONS ET TRAVAUX PRATIQUES

a) Construire un cadran solaire. Ce projet est un bon moyen de se familiariser avec les mouvements de la sphère céleste, du Soleil, ainsi qu'avec la mesure du temps.

b) Avec un appareil-photo fixé sur un trépied, prendre les photos des différents points du ciel représentés par la figure 2.2. Suggestions : film 400 ASA, ouverture f : 4, temps de pose d'une heure, loin de la pollution lumineuse et par une nuit sans Lune.

c) Construire un quart de cercle gradué orienté nord-sud comme la coupe de la figure 2.3. Utiliser l'étoile Polaire pour orienter ce quart de cercle.

d) Déduire la latitude du poste d'observation en mesurant l'altitude de l'étoile Polaire au-dessus de l'horizon nord avec le quart de cercle construit en c et en se servant des explications de ce chapitre.

e) Déduire la longitude du poste d'observation en chronométrant l'heure où le Soleil traverse exactement le méridien sud et en se servant des renseignements donnés dans ce chapitre.

f) À l'aide du quart de cercle construit en c, reconstituer une carte des étoiles en chronométrant le passage des étoiles au méridien sud et en mesurant leur altitude à cet instant.

g) Les astres situés près de l'équateur céleste décrivent un cercle de 360° autour de la Terre en 23 heures 56 minutes et 4 secondes. En une heure, ils se déplacent de 15° et en une minute, de un quart de degré. En chronométrant le temps que prend une étoile près de l'équateur céleste à traverser le champ de vision d'un instrument, mesurer le diamètre angulaire du champ de vision d'une paire de jumelles ou d'un télescope.

h) Avec un appareil-photo fixé sur une base immobile pendant un an, prendre une photo du Soleil à la même heure civile et à tous les sept jours par exemple, pendant un an sur le même négatif. Utiliser un objectif à grand angle. Les 52 petites images du Soleil obtenues sur la photo décriront la forme de l'analemme (figure 2.6).

3.
LE SYSTÈME SOLAIRE

LA LUNE ET LES ÉCLIPSES

Les phases lunaires

Après les levers et les couchers du Soleil et de la Lune, on peut affirmer sans trop se tromper que les phases de notre satellite naturel sont les premiers phénomènes astronomiques que l'enfant remarque. On lui apprend alors que la Lune ment : elle prend la forme d'un « D » lorsqu'elle croît et d'un « C » lorsqu'elle décroît. On raconte aussi un paquet d'histoires sur la pleine Lune : les loups-garous, les cheveux qui repoussent mieux s'ils sont coupés à cette époque, les influences de la pleine Lune sur les semences et les récoltes, etc. La Lune a certainement une influence sur la météorologie du globe, mais il faut être prudent pour étendre cette influence à d'autres domaines.

L'explication très simple des phases lunaires est connue depuis les débuts de l'histoire humaine. La figure 3.1a montre la Terre vue du pôle Nord et située au centre de l'orbite de la Lune. Quand la Lune est au point 1 de son orbite, le Soleil en éclaire le côté opposé à la Terre. Un observateur sur Terre voit seulement le côté non éclairé de la Lune : c'est la nouvelle Lune. Quand la Lune est ensuite au point 2, environ une semaine plus tard, le côté de la Lune tourné vers la Terre paraît éclairé à moitié ; c'est à ce moment le premier quartier. Au point 3, la Terre et le Soleil étant du même côté de la Lune, on y voit la Lune complètement éclairée et c'est la pleine Lune. Au point 4, on observe le dernier quartier puis la Lune revient au point 1. Ce cycle dure 29,5 jours et la suite des phases lunaires recommence.

La Lune en plein jour

On dit que la Lune est l'astre des nuits, mais qui n'a jamais vu la Lune en plein jour dans un beau ciel bleu ? Il n'y a rien d'étrange à cela si on revient à la figure 3.1a où un observateur sur la Terre se retrouve successivement aux positions A, B, C, D, A quand la Terre fait un tour sur elle-même. Il est midi quand l'observateur est au point A ; le Soleil se couche pour un observateur en B ; il est minuit pour un observateur en C ; le Soleil se lève quand l'observateur arrive au point D. La nouvelle Lune apparaît au lever du Soleil (observateur en D) et disparaît au coucher du Soleil (observateur en B). Elle demeure quand même invisible puisqu'elle dirige vers la Terre son côté sombre et que de plus elle est dans la même direction que le Soleil. La Lune au premier quartier est visible entre A et C ; elle se lève à midi et se couche à minuit. La pleine Lune est visible toute la nuit puisqu'elle se lève au coucher du Soleil et se couche au lever du Soleil. Enfin, la Lune au dernier quartier se lève à minuit et se couche à midi.

Les éclipses

Les éclipses se produisent chaque fois que les trois astres, Soleil, Terre et Lune, sont alignés. Théoriquement, il devrait ainsi y avoir des éclipses de Soleil à chaque nouvelle Lune et des éclipses de Lune à chaque pleine Lune, si l'on se fie à la figure 3.1a. Pourtant les éclipses sont plus rares. Il se produit en moyenne deux ou trois éclipses de Lune et deux ou trois éclipses de Soleil par année. La raison en est que l'orbite de la Lune autour de la Terre n'est pas dans le même plan que

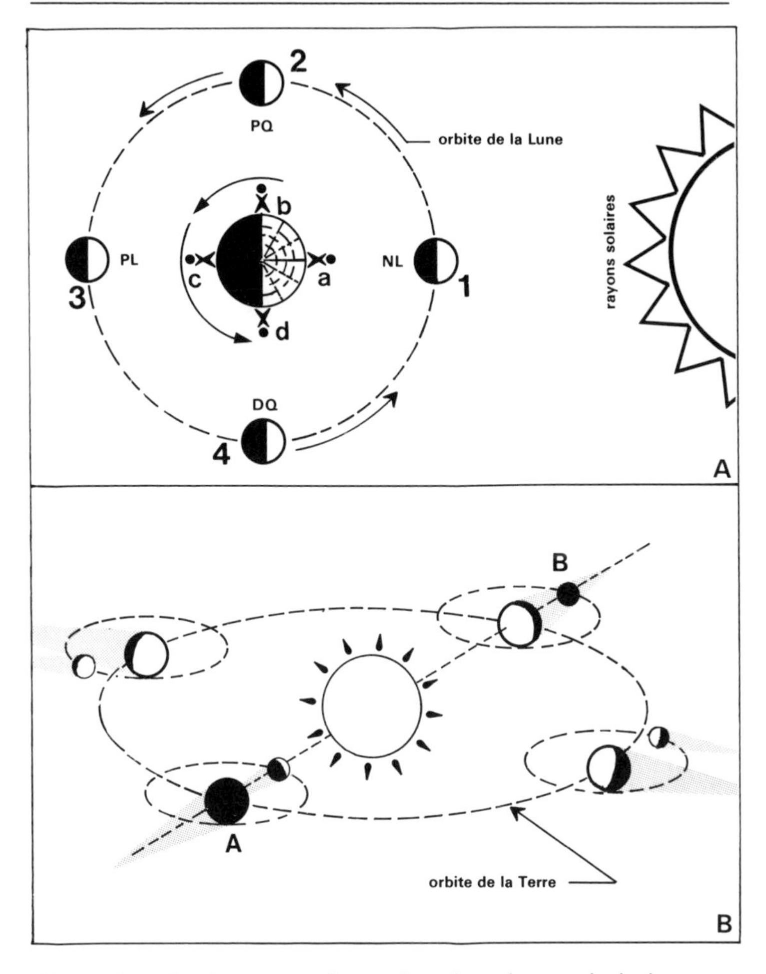

Figure 3.1: **En haut**: représentation des phases de la Lune en fonction de ses positions le long de son orbite. **En bas**: pour que les éclipses puissent se produire, il faut que le Soleil, la Terre et la Lune soient alignées, ce qui se produit seulement aux deux points A et B de l'orbite terrestre à cause de l'inclinaison de l'orbite lunaire.

Jean Vallières

Lors de la pleine Lune, les mers et les régions claires de la surface lunaire ressortent avec évidence. Les cratères, d'autre part, restent presque invisibles. On voit très bien aussi les traînées blanches irradiant des cratères Tycho, Copernic et Képler ainsi qu'un point très brillant: le cratère Aristarque.

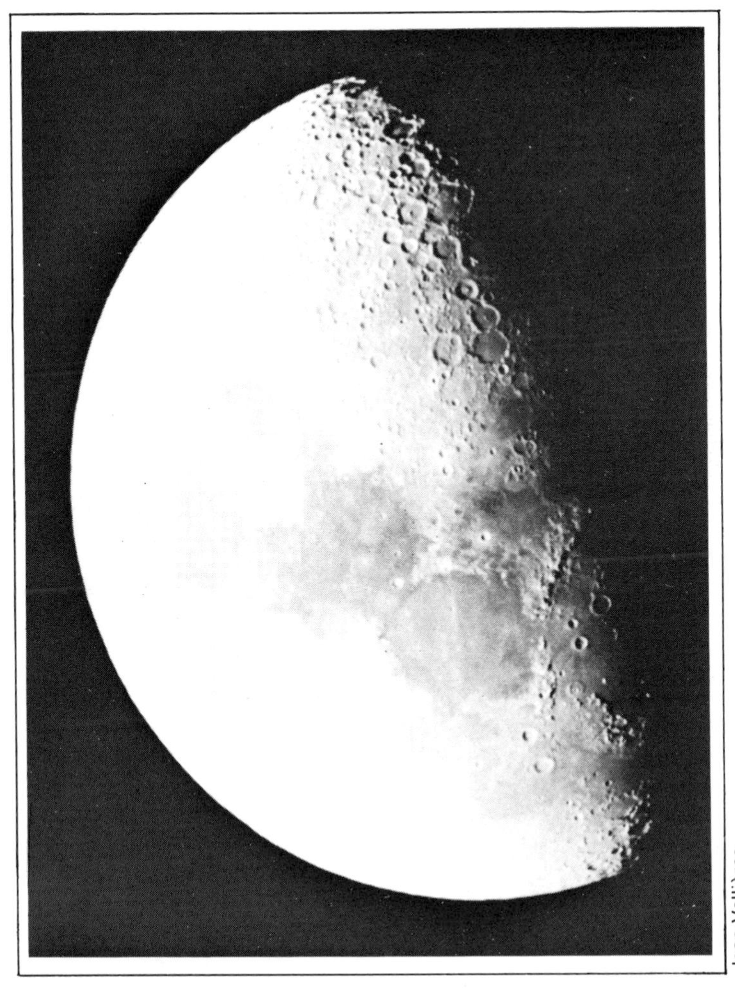

Jean Vallières

La Lune aux environs du premier quartier. C'est la meilleure période pour observer les détails du relief lunaire. En effet, près du terminateur, les cratères et les montagnes projettent leurs ombres effilées et paraissent plus escarpés.

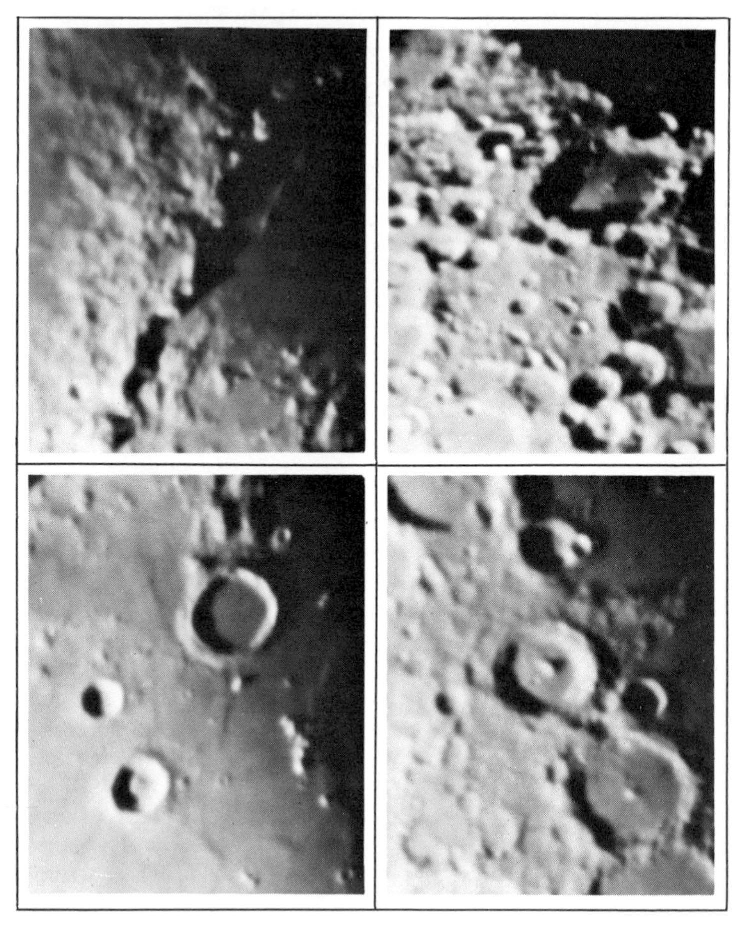

Portions agrandies de la photo précédente. EN HAUT: on retrouve à gauche la chaîne des monts Apennins projetant leurs ombres dans la Mer des Pluies et à droite la région du cratère Maginus. EN BAS: on voit à gauche les cratères Archimède, Aristille et Autolycus et à droite les cratères Ptolémée, Alphonse et Arzachel.

l'orbite de la Terre autour du Soleil : la plupart du temps la Lune passe au-dessus ou au-dessous de la ligne Terre-Soleil au moment de la nouvelle ou de la pleine Lune, comme le montre la figure 3.1b. Il n'existe en réalité que deux points de l'orbite terrestre où les trois astres peuvent être exactement alignés et près desquels peuvent se produire les éclipses.

Éclipses de Lune

Les éclipses de Lune se produisent toujours à la pleine Lune, lorsque la Terre est exactement entre la Lune et le Soleil (figure 3.2a). Il y a éclipse totale de Lune quand la Lune pénètre complètement dans le cône d'ombre de la Terre (trajet 1). Une éclipse partielle se produit si la Lune frôle le bord de l'ombre de la Terre (trajet 2). Il y a éclipse par la pénombre quand la Lune passe dans la pénombre sans toucher l'ombre (trajet 3). Enfin, la Lune passe le plus souvent au-dessus ou au-dessous même de la pénombre (trajet 4) et il n'y a pas d'éclipse du tout.

Lors d'une éclipse totale de Lune, la pleine Lune pénètre d'abord lentement dans la pénombre. L'assombrissement ne devient perceptible que lorsque la Lune est presque complètement dans la pénombre. Puis le bord de l'ombre commence tranquillement à ronger le disque lunaire. On voit bien que le bord de l'ombre est circulaire, ce qui a été une des premières preuves de la forme ronde de la Terre. À mesure que la Lune pénètre de plus en plus profondément dans l'ombre, le clair de Lune s'assombrit et les étoiles faibles apparaissent rapidement vers la fin de cette phase partielle. Puis c'est la totalité. Il ne faut pas s'attendre à voir la Lune disparaître complètement bien que cela puisse arriver quelquefois. La plupart du temps, la Lune devient plus ou moins sombre mais reste visible. Elle peut prendre une teinte brune, rouge ou orangée selon les éclipses. Cette teinte est causée par les rayons solaires réfractés sur la Lune après avoir traversé l'atmosphère de la Terre (figure 3.2b). La durée de la phase totale d'une éclipse de Lune peut atteindre plus d'une heure.

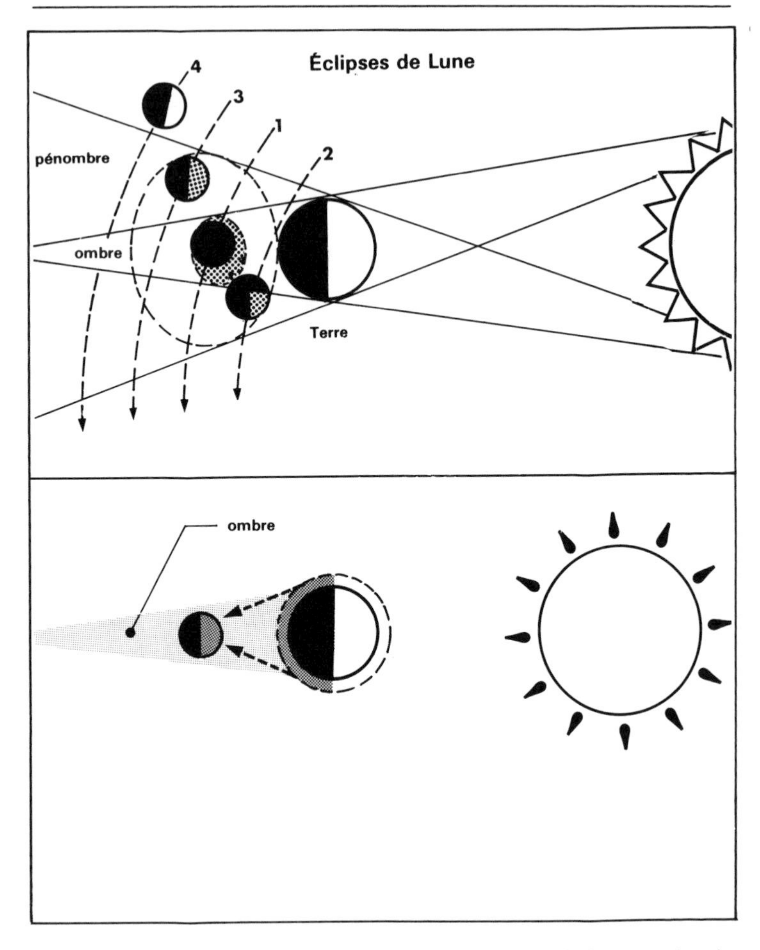

Figure 3.2: **En haut**: Importance d'une éclipse de Lune selon la façon dont sa trajectoire traverse l'ombre de la Terre: 1 — éclipse totale, 2 — éclipse partielle, 3 — éclipse par la pénombre, 4 — pas d'éclipse. **En bas**: pendant une éclipse totale de Lune, le disque lunaire est visible et de couleur rouge à cause des rayons lumineux provenant du Soleil, déviés et filtrés par l'atmosphère terrestre.

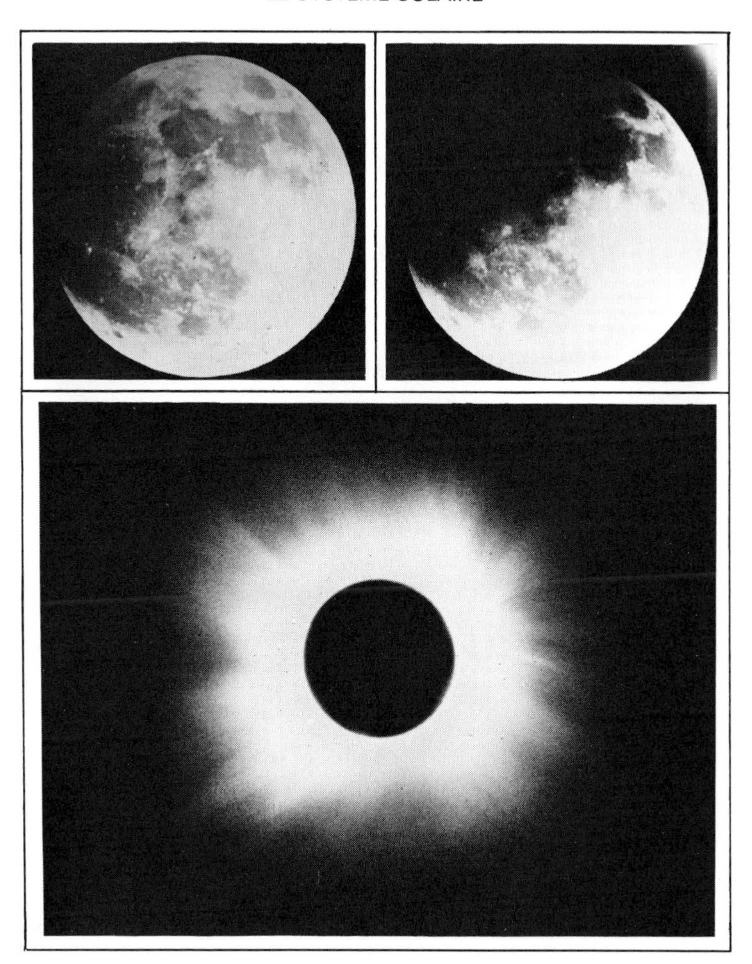

EN HAUT: deux photographies de l'éclipse partielle de Lune du 3 avril 1977 prises par Pierre Arpin sur diapositive-couleurs de 125 ASA; temps de pose $^{1}/_{500}$ sec. à f: 10. EN BAS: éclipse totale de Soleil du 26 février 1979 photographiée à Winnipeg par Damien Lemay; original sur diapositive 200 ASA, exposition de deux secondes avec téléphoto 300 mm plus doubleur.

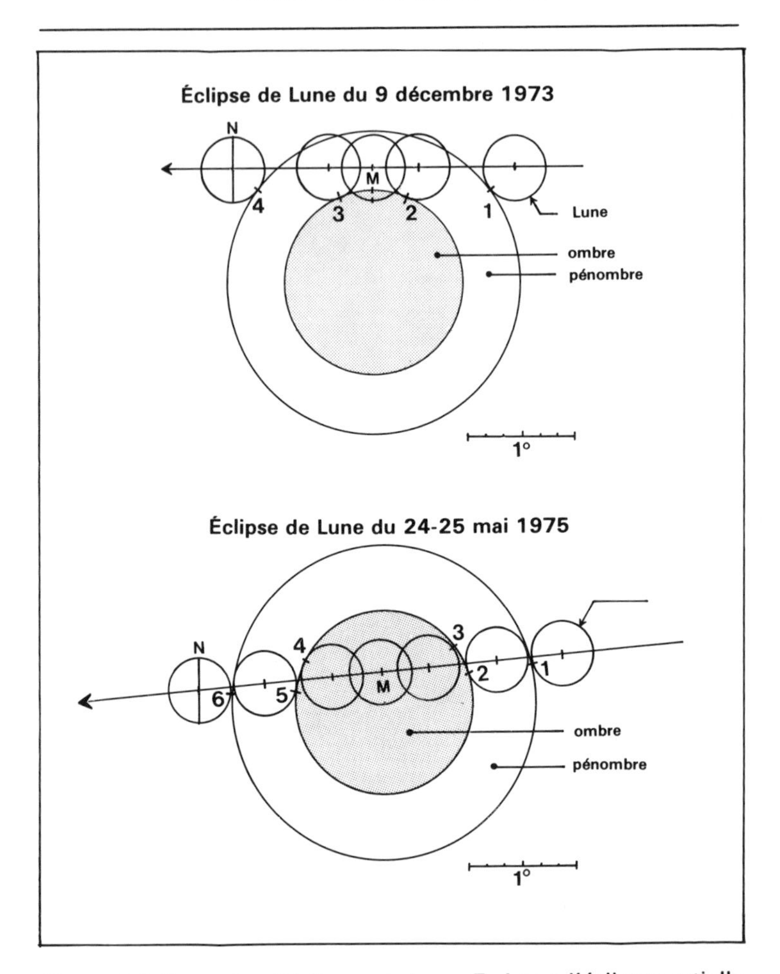

Figure 3.3: Exemples d'éclipses de Lune. **En haut**: l'éclipse partielle du 9 décembre 1973 dont la phase partielle avait duré 70 minutes entre les contacts 2 et 3. Au milieu de l'éclipse, 11% du diamètre lunaire était dans l'ombre. **En bas**: l'éclipse totale du 24 mai 1975 dont la totalité avait duré 89 minutes entre les contacts 3 et 4.

Éclipses de Soleil

Une éclipse totale de Soleil est le phénomène astronomique le plus spectaculaire qu'on puisse observer. C'est même un phénomène grandiose et inoubliable pour ceux qui ont eu la chance d'y assister. C'est pourquoi de nombreux astronomes sont prêts à parcourir plusieurs milliers de kilomètres pour observer un tel spectacle.

Au début de l'éclipse, rien de très remarquable ; seulement une petite échancrure sur le bord du Soleil. C'est la phase partielle qui vient de débuter avec le disque lunaire qui commence à cacher graduellement l'astre du jour. Il est dangereux pour la vue d'observer cette phase comme il est toujours dangereux d'observer directement le Soleil sans protection. Vers la fin de la phase partielle, il ne reste plus qu'un croissant de Soleil. La température tombe et un vent frais se lève. Un immense cône d'ombre vient s'abattre sur le lieu d'observation. Puis c'est la nuit. Une nuit étrange où l'horizon est encore éclairé au loin par un astre noir entouré de protubérances rosées et d'une magnifique couronne luminescente de teinte bleu-vert. Pour la nature, les oiseaux et les animaux, c'est le silence de la nuit. Une nuit pourtant très brève puisque les plus longues éclipses totales ne durent que sept minutes dans les meilleures circonstances.

Une éclipse totale de Soleil est très rare pour un endroit fixe de la Terre puisqu'elle ne se produit qu'à l'intérieur de la bande balayée par le bout relativement étroit du cône d'ombre de la Lune qui vient toucher le sol terrestre (figure 3.4). Si l'observateur n'est pas à l'intérieur de cette bande, dont la largeur varie de zéro à plus de 100 km selon les éclipses, il voit alors une éclipse partielle de Soleil. Si la Lune est trop loin de la Terre pour que la pointe du cône d'ombre touche la Terre, il y a alors éclipse annulaire de Soleil. Vu de la Terre, le disque lunaire paraît à ce moment plus petit que celui du Soleil et ne peut le cacher complètement. Le disque solaire dépasse celui de la Lune et apparaît alors comme un anneau.

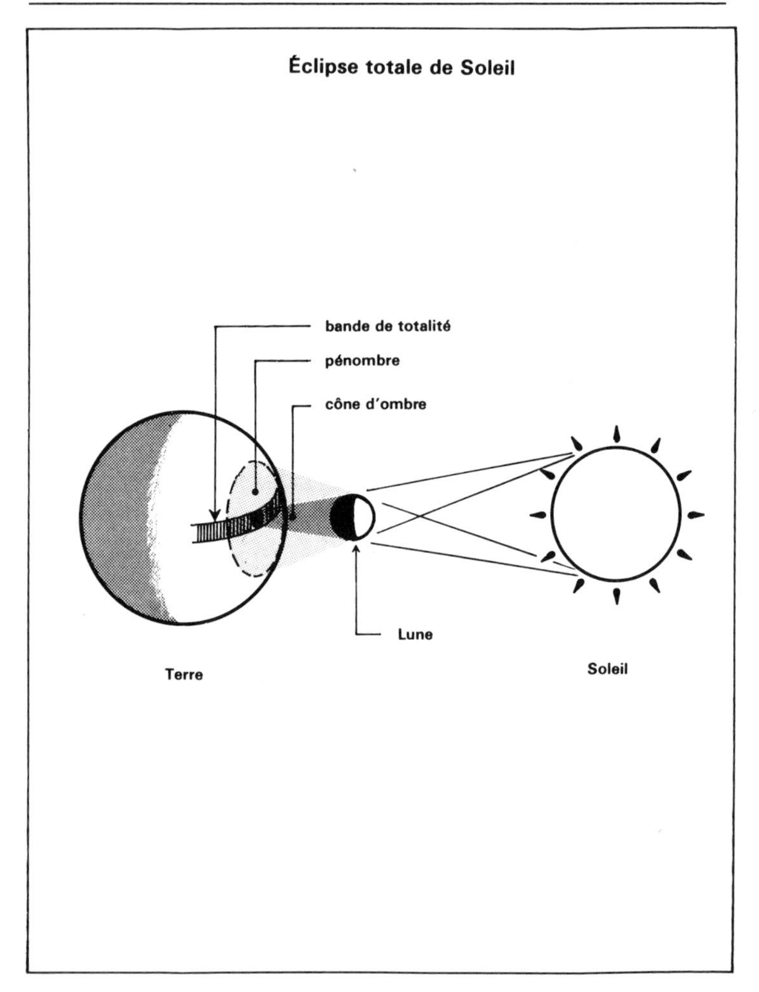

Figure 3.4: La pointe du cône d'ombre de la Lune balaie la surface de la Terre en formant la bande de totalité à l'intérieur de laquelle on doit se trouver pour voir une éclipse totale de Soleil. Si on est situé dans la zone de pénombre, on voit une éclipse partielle de Soleil.

Le saros

La prédiction des éclipses ne date pas d'hier. Dans la Grèce antique, Thalès de Milet prédit l'éclipse de Soleil du 28 mai de l'an 585 av. J.-C. Bien avant lui, les astronomes d'Égypte et de Chaldée pouvaient prédire les éclipses de Soleil et de Lune à l'aide de tables empiriques. Après avoir compilé les dates des éclipses au cours de plusieurs siècles, ces astronomes se sont aperçu qu'elles revenaient avec un cycle se reproduisant à tous les 18 ans 11 jours et 8 heures. Ce cycle est celui du « saros ».

Après l'intervalle d'un saros, une éclipse revient dans les mêmes conditions. S'il s'agit d'une éclipse partielle de Lune, on revoit plus tard cette éclipse avec à peu près le même pourcentage du disque lunaire éclipsé. Comme le saros ne dure pas un nombre entier de jours, il résulte de cette différence de huit heures que l'éclipse est vue plus tard exactement dans les mêmes conditions à partir d'un poste d'observation situé à 120 degrés de longitude plus à l'ouest : c'est la rotation que fait la Terre en huit heures.

Par exemple, l'éclipse totale de Soleil de longue durée (sept minutes) observée au Sahara le 30 juin 1973 reviendra dans les mêmes conditions au Mexique le 11 juillet 1991. Plus près de nous, celle qui a été observée à Winnipeg le 26 février 1979 reviendra en Chine le 8 mars 1997. Le saros est toujours utile pour avoir une bonne idée des dates des futures éclipses. Aujourd'hui, avec l'ordinateur, on obtient une précision de l'ordre de la seconde dans le temps et de moins d'une centaine de mètres dans l'espace.

VOYAGE VERS LES PLANÈTES

Nous allons maintenant quitter le système Terre-Lune pour un voyage éclair à travers le système solaire. Nous commençons par Mercure, la planète la plus proche du Soleil, pour nous éloigner rapidement vers les limites du système solaire.

Éclipse	Date	Milieu de l'éclipse (H.N.E.)
Partielle	3 mars 1988	11 h
Partielle	27 août 1988	6 h
Totale	20 février 1989	11 h
★ Totale	16 août 1989	22 h
Totale	9 février 1990	14 h
Partielle	6 août 1990	9 h
★ Partielle	21 décembre 1991	6 h
★ Partielle	15 juin 1992	0 h
★ Totale	9 décembre 1992	19 h
Totale	4 juin 1993	8 h
★ Totale	29 novembre 1993	1 h
★ Partielle	24 mai 1994	23 h
Partielle	15 avril 1995	7 h
★ Totale	3 avril 1996	19 h
★ Totale	26 septembre 1996	22 h
★ Partielle	24 mars 1997	0 h
Totale	16 septembre 1997	14 h
Partielle	28 juillet 1999	7 h
★ Totale	21 janvier 2000	0 h
Totale	16 juillet 2000	9 h
Totale	9 janvier 2001	16 h
Partielle	5 juillet 2001	10 h
★ Totale	15 mai 2003	23 h
★ Totale	8 novembre 2003	20 h
Totale	4 mai 2004	16 h
★ Totale	27 octobre 2004	22 h

Éclipses de Lune de 1987 à 2004

Figure 3.5: Éclipses totales et partielles de Lune pour la durée d'un saros, de 1987 à 2004. Les éclipses marquées d'un astérisque sont visibles du Québec.

Éclipses de Soleil de 1987 à 2004		
Éclipse	**Date**	**Région de visibilité**
Ann. totale	29 mars 1987	Afrique centrale
Annulaire	23 septembre 1987	Asie du Sud-Est
Totale	18 mars 1988	Indonésie
Annulaire	11 septembre 1988	Océan Indien
Annulaire	26 janvier 1990	Antarctique
Totale	22 juillet 1990	Sibérie
Annulaire	15 janvier 1991	Australie
Totale	11 juillet 1991	Hawaii, Mexique
Annulaire	4 janvier 1992	Océan Pacifique
Totale	30 juin 1992	Océan Atlantique
Annulaire	10 mai 1994	Amérique du Nord
Totale	3 novembre 1994	Amérique du Sud
Annulaire	29 avril 1995	Amérique du Sud
Totale	24 octobre 1995	Asie du Sud-Est
Totale	9 mars 1997	Sibérie
Totale	26 février 1998	Amérique du Sud
Annulaire	22 août 1998	Indonésie
Annulaire	16 février 1999	Australie
Totale	11 août 1999	Europe et Asie
Totale	21 juin 2001	Afrique
Annulaire	14 décembre 2001	Amérique centrale
Annulaire	10 juin 2002	Océan Pacifique
Totale	4 décembre 2002	Afrique, Australie
Annulaire	31 mai 2003	Islande
Totale	23 novembre 2003	Antarctique

Figure 3.6: Éclipses totales et annulaires de Soleil pour la durée d'un saros, de 1987 à 2004. Certaines de ces éclipses, parmi les moins éloignées, sont visibles du Québec comme partielles.

Mercure

Mercure ressemble à une grosse Lune avec plein de cratères et de chaînes de montagnes. La présence des cratères est causée par la chute de météorites venant percuter son sol sans être arrêtés par une atmosphère car Mercure n'en possède pour ainsi dire aucune. Les températures sont plus extrêmes que sur la Lune. À la surface de Mercure, le Soleil donne six fois plus de lumière et de chaleur que sur la Terre.

Vénus

Deuxième planète du système solaire, presque aussi grosse que la Terre, Vénus est recouverte d'une épaisse atmosphère composée principalement de gaz carbonique qui nous cache continuellement sa surface. La pression atmosphérique au sol de Vénus est cent fois plus forte que la pression atmosphérique terrestre. À cause de l'effet de serre du gaz carbonique, la température au sol de Vénus est plus élevée que celle de Mercure et aucun vaisseau spatial n'a pu jusqu'ici y résister très longtemps.

Terre

Vue de l'espace, la Terre est la plus belle des planètes. On y voit le Soleil s'y réfléchir et miroiter sur ses immenses étendues d'eau. On y observe la forme changeante de ses formations nuageuses. Il paraît certain que la planète bleue est la seule du système solaire à soutenir une vie évoluée. Cela est dû à plusieurs circonstances comme, par exemple, son éloignement du Soleil qui permet une température idéale pour l'évolution des molécules organiques complexes en milieu aqueux liquide. Une température trop froide ralentit les réactions chimiques au point de rendre l'évolution impossible. D'un autre côté, les associations moléculaires complexes nécessaires à la vie ne peuvent subsister à très haute température. De plus, la masse même de la Terre lui permet de retenir par gravitation une atmosphère contenant de l'oxygène, fournissant une pression au sol permettant

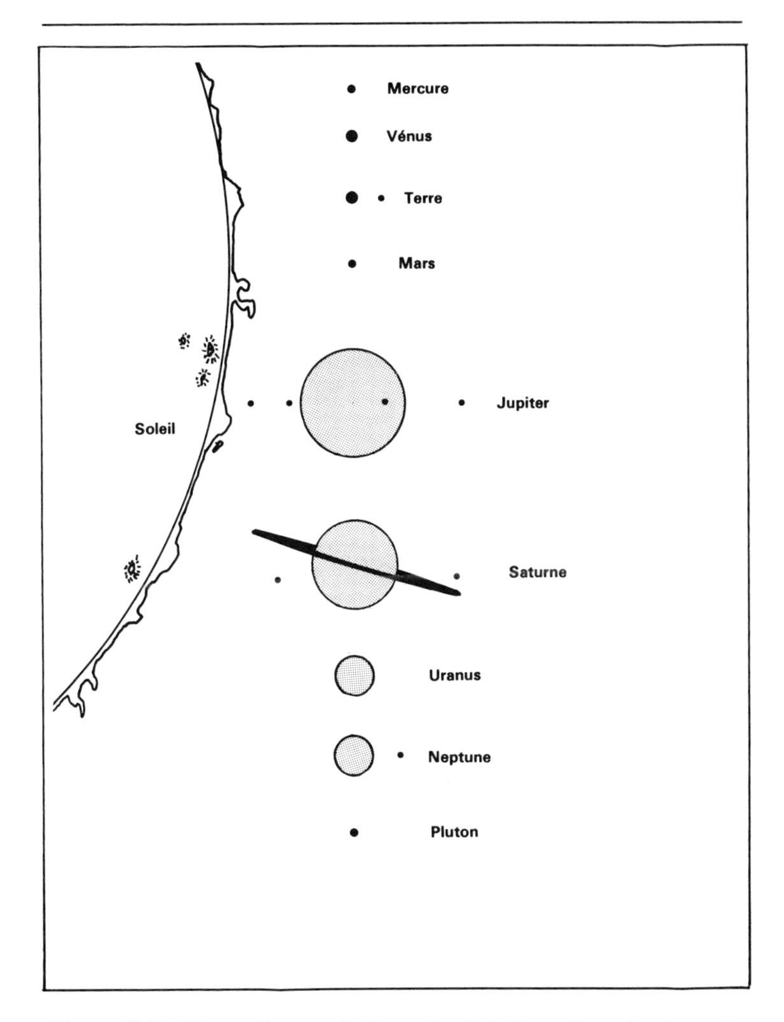

Figure 3.7: Dimensions relatives du Soleil et des planètes du système solaire. Le diamètre du Soleil est plus de cent fois celui de la Terre. Cette dernière est même plus petite que certaines taches solaires.

l'existence d'eau à l'état liquide (dans le vide, l'eau s'évapore même à basse température), et filtrant les rayons X, ultra-violets, etc., provenant du Soleil et néfastes pour la vie.

Mars

La mystérieuse planète rouge est en réalité un immense désert glacial sec parsemé de dunes de sable rouge, de rochers et de cratères balayés par des vents violents. L'homme ne pourrait survivre sans protection sur cette planète où l'air est cent fois plus raréfié que sur la Terre. Mars ressemble à une petite Terre sous plusieurs aspects : les jours ont pratiquement la même durée ; son axe est incliné presque du même angle, ce qui fait qu'elle possède des saisons et des calottes polaires faites d'une mince couche de gaz carbonique congelé.

Les astéroïdes

Entre Mars et Jupiter, on doit traverser avec prudence l'anneau des astéroïdes, minuscules planètes qui se comptent par milliers. Les plus gros, comme Cérès, Vesta, Junon et Pallas, n'ont que quelques centaines de kilomètres de diamètre. Les autres ne sont que de gros cailloux. Les astéroïdes sont-ils les résidus d'un cataclysme lointain ou se sont-ils formés tels quels en même temps que tout le système solaire ? On l'ignore pour le moment.

Jupiter

Avec Jupiter, on aborde les planètes géantes, très différentes des précédentes. D'abord, elles n'ont pas de surface rocheuse solide où poser le pied. En effet, les bandes qu'on peut voir sur Jupiter font partie de sa haute atmosphère composée d'hydrogène, de méthane, d'ammoniac et de quelques autres substances aussi bonnes pour la santé ! À la distance de Jupiter, le Soleil ne fournit plus que quatre pour cent de la lumière et de l'énergie qu'il fournit sur la Terre. Les substances qui sont à l'état de gaz chez nous peuvent être liquéfiées ou solidifiées sur Jupiter. On peut imaginer par exemple que la surface de Jupiter est un immense océan d'hydrogène liquide et que son atmosphère est parsemée de tempêtes de méthane ou d'ammoniac. Jupiter possède 15 satellites connus dont les quatre plus volumineux, de la grosseur de notre Lune, ont été découverts par Galilée en 1610.

Saturne

Les caractéristiques de Jupiter s'appliquent avec peu de modifications au globe de Saturne. Son diamètre est aussi de l'ordre de dix fois celui de la Terre. Le Soleil n'y fournit plus que un pour cent de la lumière et de l'énergie qu'il fournit sur la Terre. L'anneau de Saturne en fait le joyau du ciel. On sait aujourd'hui que cet anneau n'est pas rigide. Il est en réalité composé d'une multitude de petits cailloux et cristaux de glace qui gravitent comme des satellites autour du globe de Saturne.

Uranus, Neptune et Pluton

Uranus et Neptune sont probablement d'immenses boules de gaz congelés dont les diamètres sont environ quatre fois celui de la Terre. Pluton serait une petite planète de la même grosseur que la Lune. Elle est tellement éloignée que même les plus gros télescopes ne la voient que comme un point lumineux. C'est toujours la nuit sur Pluton puisque même en plein jour, le Soleil n'est plus qu'une grosse étoile 1 500 fois moins brillante que le Soleil de la Terre.

LES PLANÈTES VUES DE LA TERRE

À l'œil nu, nous avons déjà dit que les planètes ressemblent à des étoiles brillantes. Au cours de l'année, elles se déplacent lentement près de la ligne de l'écliptique, le plus souvent vers l'est, mais aussi vers l'ouest lors de leurs mouvements rétrogrades (figure 3.10a).

Planète	Distance au Soleil	Révolution sidérale ★	Révolution synodique ★	Diamètre équatorial
	millions de km	jours ou années	jours	km
Mercure	57,9	88 jours	116	4 878
Vénus	108,1	224,7 jours	584	12 104
Terre	149,5	365,26 jours		12 756
Mars	227,8	687 jours	780	6 787
Jupiter	778	11,86 ans	399	142 796
Saturne	1 427	29,46 ans	378	120 000
Uranus	2 869	84,01 ans	370	50 800
Neptune	4 497	164,8 ans	367	48 600
Pluton	5 900	247,7 ans	367	3 000

Figure 3.8: Tableau des éléments orbitaux des planètes du système solaire. Les termes révolution sidérale et révolution synodique sont expliqués dans le texte. La distance du Soleil est la distance moyenne et correspond au demi grand axe de l'orbite. Le diamètre équatorial est celui du globe de la planète. Adapté de l'*Annuaire Astronomique 1987*.

Planète	Masse	Densité moyenne	Pesanteur au sol	Période de rotation	Nombre de satellites connus
	Terre = 1	Eau = 1	Terre = 1		
Mercure	0,055	5,44	0,38	58j 16h	0
Vénus	0,815	5,24	0,90	243j (rétro)	0
Terre	1,000	5,52	1	23h 56m 04s	1
Mars	0,107	3,93	0,38	24h 37m 23s	2
Jupiter	318	1,33	2,87	9h 50m 30s	16
Saturne	95,2	0,70	1,32	10h 14m	17
Uranus	14,6	1,28	0,93	10h 49m	15
Neptune	17,2	1,75	1,23	16h	2
Pluton	0,0025	1,1	0,045	6j 9h 17m	1

Figure 3.9: Tableau des éléments physiques des planètes du système solaire. La masse de la Terre est de $5,97 \times 10^{24}$ kilogrammes et sert de référence pour les autres planètes. Adapté de l'*Annuaire Astronomique 1987*.

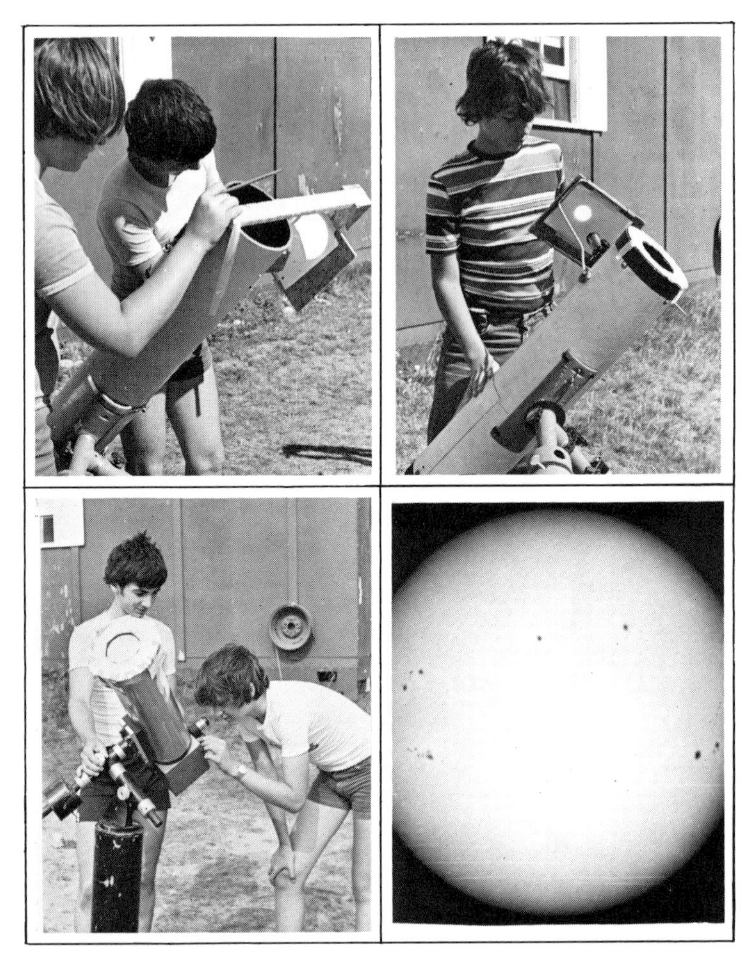

Deux méthodes sûres pour observer le Soleil utilisées par les jeunes lors du stage d'astronomie de Port-au-Saumon. EN HAUT: projection par oculaire de l'image du Soleil sur un écran. EN BAS À GAUCHE: filtre placé devant l'objectif. EN BAS À DROITE: photo des taches solaires réalisée par Roland Larochelle du Club d'astronomie du collège de Lévis.

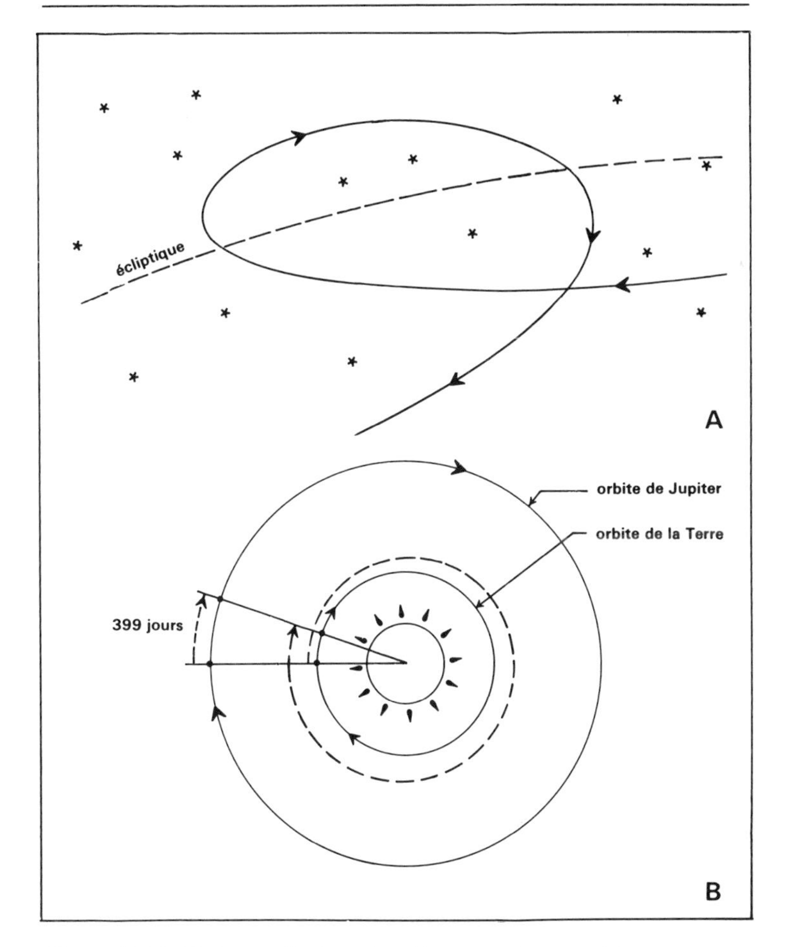

Figure 3.10: **En haut**: Trajectoire d'une planète supérieure autour de la période de son opposition. On y voit le mouvement direct, puis le mouvement rétrograde, puis de nouveau le mouvement direct. **En bas**: en 399 jours, Jupiter parcours une fraction de son orbite tandis que la Terre fait plus d'un tour. Au bout de cet intervalle, les deux planètes sont de nouveau alignées.

Phénomènes géocentriques

Le mouvement rétrograde d'une planète vient du fait que nous observons la dite planète de la Terre elle-même en mouvement. Quand la planète semble retourner en arrière parmi les étoiles, ce n'est pas parce qu'elle se met tout à coup à reculer mais plutôt parce que l'observateur sur la Terre la dépasse dans sa course autour du Soleil.

Dans cette course, on dit que la planète revient à la même position par rapport à la Terre à chaque révolution synodique. Par exemple, dans la figure 3.10b, la révolution sidérale pour que Jupiter fasse un tour complet de 360° autour du Soleil est de 11,86 années, tandis que la révolution synodique de Jupiter est de 399 jours, ce qui est le temps pour que Jupiter revienne de nouveau alignée avec la Terre.

La figure 3.11 montre les différentes configurations que peut prendre une planète par rapport à la Terre. Une planète supérieure est une planète plus éloignée que la Terre du Soleil, comme Mars, Jupiter et Saturne. Les planètes plus rapprochées, Mercure et Vénus, sont dites planètes inférieures.

Opposition

Lors de son opposition, une planète supérieure est visible toute la nuit. Étant opposée au Soleil, elle se lève au coucher et se couche au lever du Soleil. Pour cette raison, et aussi parce qu'elle est à son point le plus près de la Terre à ce moment, c'est le meilleur temps pour l'observer.

Conjonction

Toute planète, supérieure ou inférieure, est très difficile ou impossible à observer au moment de la conjonction puisqu'elle est soit devant, soit derrière le Soleil. On observe de temps en temps des passages de Mercure et plus rarement de Vénus devant le disque solaire lors de leurs conjonctions inférieures.

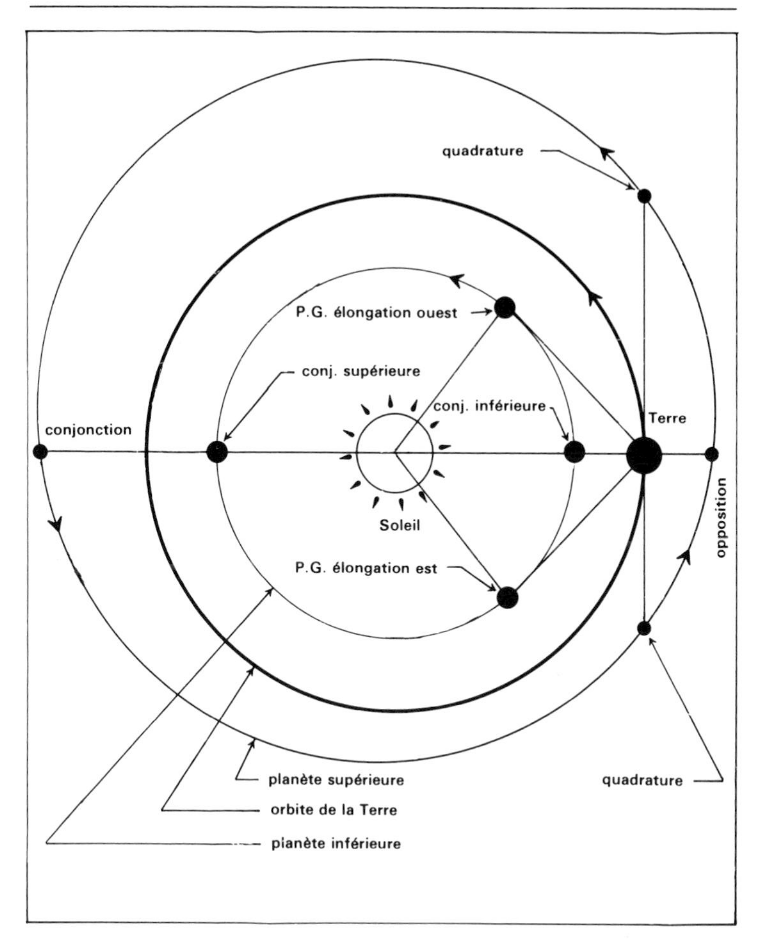

Figure 3.11: Les phénomènes géocentriques sont les différentes configurations des planètes vues de la Terre. Une planète inférieure peut être en conjonction supérieure ou inférieure et atteint sa plus grande élongation à la position indiquée. Une planète supérieure peut être en conjonction, en quadrature ou en opposition avec le Soleil.

Plus grandes élongations

Une planète inférieure est à sa plus grande élongation lorsque l'angle entre la planète et le Soleil est à son maximum. La plus grande élongation peut atteindre 47° pour Vénus et 28° pour Mercure. Lors de la plus grande élongation est, Vénus apparaît au télescope comme une minuscule réplique de la Lune au premier quartier et peut se coucher jusqu'à quatre heures après le Soleil dans les meilleures conditions. On dit qu'à ce moment Vénus est étoile du soir. Elle est étoile du matin et se lève avant le Soleil lors de sa plus grande élongation ouest.

Visibilité des planètes

Puisque Vénus est plus facilement visible lors de ses plus grandes élongations, la figure 3.12 donne les périodes d'élongation maximale de cette planète pour les années à venir. À ces périodes, il est pratiquement impossible de manquer Vénus, puisque c'est l'astre le plus brillant après le Soleil et la Lune. Il suffit de regarder vers l'ouest après le coucher du Soleil si Vénus est étoile du soir, ou bien vers l'est avant le lever du Soleil si elle est étoile du matin.

Quand Vénus est étoile du soir, elle est visible au moins trois mois avant et un mois après la date de l'élongation indiquée sur le tableau. Quand elle est étoile du matin, on la voit plus d'un mois avant et plus de trois mois après la date indiquée.

Les planètes supérieures, Mars, Jupiter et Saturne, sont le plus facilement observables près de leurs oppositions. Pour chacune de ces planètes, les tableaux donnent la période d'opposition ainsi que la constellation où la planète se trouve à ce moment. Alors, si on voit un objet brillant près de l'écliptique dans ladite constellation, il s'agit certainement de la planète en question si l'objet n'est pas sur les cartes.

VÉNUS	
Plus grande élongation	**Phénomène**
15 janvier 1987	Étoile du matin
3 avril 1988	Étoile du soir
22 août 1988	Étoile du matin
8 novembre 1989	Étoile du soir
30 mars 1990	Étoile du matin
13 juin 1991	Étoile du soir
2 novembre 1991	Étoile du matin
19 janvier 1993	Étoile du soir
10 juin 1993	Étoile du matin
24 août 1994	Étoile du soir
13 janvier 1995	Étoile du matin
1 avril 1996	Étoile du soir
20 août 1996	Étoile du matin
6 novembre 1997	Étoile du soir
27 mars 1998	Étoile du matin
11 juin 1999	Étoile du soir
30 octobre 1999	Étoile du matin

MARS	
Opposition	**Constellation**
10 juillet 1986	Sagittaire
28 septembre 1988	Poissons
27 novembre 1990	Taureau
7 janvier 1993	Gémeaux
12 février 1995	Cancer
17 mars 1997	Vierge
24 avril 1999	Balance

Figure 3.12: Périodes favorables aux observations de Vénus et de Mars. Vénus s'observe lors de ses plus grandes élongations, quand elle est étoile du soir ou du matin. Mars est observable quelques mois avant et après la date de son opposition avec le Soleil. On donne la constellation où se trouve la planète Mars à ce moment.

JUPITER	
Opposition	**Constellation**
18 octobre 1987	Poissons
23 novembre 1988	Taureau
27 décembre 1989	Gémeaux
29 janvier 1991	Cancer
29 février 1992	Lion
30 mars 1993	Vierge
30 avril 1994	Balance
1 juin 1995	Scorpion
4 juillet 1996	Sagittaire
9 août 1997	Capricorne
16 septembre 1998	Poissons
23 octobre 1999	Bélier
SATURNE	
Opposition	**Constellation**
9 juin 1987	Scorpion
20 juin 1988	Sagittaire
2 juillet 1989	Sagittaire
14 juillet 1990	Capricorne
27 juillet 1991	Capricorne
7 août 1992	Capricorne
19 août 1993	Verseau
1 septembre 1994	Verseau
14 septembre 1995	Poissons
26 septembre 1996	Poissons
10 octobre 1997	Bélier
23 octobre 1998	Bélier
6 novembre 1999	Taureau

Figure 3.13: Périodes favorables aux observations de Jupiter et de Saturne. On donne aussi les constellations où se trouvent ces planètes à chacune de leurs oppositions. Jupiter et Saturne sont observables au moins trois mois avant et après ces dates.

AU-DELÀ DU SYSTÈME SOLAIRE

Si on suppose que la Terre est de la grosseur d'une balle de ping-pong, il devient plus facile de se représenter à notre échelle les dimensions du système solaire, même si peu d'entre nous ont déjà fait le tour de la balle de ping-pong. À cette échelle, la Lune est une «bine» tournant autour de la balle de ping-pong à une distance de 76 cm. La balle de ping-pong gravite elle-même à une distance de 300 m du gros ballon-Soleil de trois mètres de diamètre. Toujours à cette même échelle, le diamètre du système solaire, c'est-à-dire de l'orbite de Pluton, atteint 24 kilomètres et l'étoile la plus proche, Alpha du Centaure, se situe à 80 000 km!

La Terre est une poussière à l'échelle du Cosmos et si on veut se faire une meilleure idée des dimensions de l'Univers, il faut réduire de beaucoup l'échelle précédente. Supposons alors que tout le système solaire que nous venons de décrire est entièrement contenu dans un grain de sable de un mm. Alpha du Centaure est alors située à quatre mètres de nous. Notre galaxie entière, la Voie Lactée, qui contient des milliards d'étoiles mesure quand même 20 millions de km de diamètre, ce qui est 2 000 fois plus que le diamètre terrestre!

L'astronomie est un domaine très vaste dont ce livre ne sert qu'à ouvrir les portes. Il faudrait des milliers de pages pour parcourir les sentiers de cette science et découvrir des étoiles si énormes qu'elles englobent notre système solaire jusqu'à l'orbite de Mars, d'autres si denses qu'un centimètre cube de matière y pèse des tonnes. On y rencontre des astres dont la masse dépasse celle de notre Soleil et qui sont entraînés dans un mouvement de rotation aussi rapide que la roue d'une automobile filant à 80 kilomètres à l'heure. Il y a aussi ces fameux «trous noirs» dont la force de gravitation est si intense que même la lumière ne peut s'en échapper.

La lecture fait partie des activités de l'astronome amateur. On y retrouve les tentatives de réponses de l'humanité aux énigmes que lui pose l'Univers. À la limite, il y a même un certain « danger » qu'on se mette à réfléchir sur l'importance et la place de l'homme devant l'Immensité.

OBSERVATIONS ET TRAVAUX PRATIQUES

a) À l'aide d'un appareil-photo fixé sur un trépied, photographier le mouvement apparent de la Lune dans le ciel. Pour cela, on peut prendre plusieurs instantanés successifs sur la même photo sans avancer le film. L'obturateur étant ouvert, l'objectif est cependant recouvert d'un masque. À toutes les cinq minutes, on retire le masque pendant une ou deux secondes. Avec deux heures de ce petit manège, on peut obtenir 24 images de la Lune sur la même photo.

b) Avec un appareil-photo fixé sur un trépied, une exposition de cinq à dix secondes suffit pour faire apparaître toutes les étoiles et les planètes visibles à l'œil nu, si on utilise du film sensible comme le Tri-X. Les astres demeurent des points avec une lentille de 50 m de focale puisque ce temps de pose est trop court pour que la rotation diurne de la Terre en fasse des traits. On peut utiliser cette méthode pour photographier une planète parmi les étoiles plusieurs mois avant et après son opposition, ce qui nous donne par la suite sa trajectoire avec son mouvement normal et son mouvement rétrograde.

c) Démontrer que l'eau liquide ne peut exister longtemps sur Mars. Dans une cloche à vide où on réduit la pression à un pour cent de la pression atmosphérique terrestre, comme celle qui existe sur Mars, vérifier que l'eau bout même à basse température.

d) Construire à l'échelle un modèle du système solaire en respectant aussi bien les diamètres que les distances des planètes données dans ce chapitre. Faire un essai en donnant à la Terre un diamètre d'un mm. Vérifier que vues de la Terre sur ce modèle, toutes les autres planètes sont trop éloignées pour montrer leurs disques et se voient comme des points à l'œil nu.

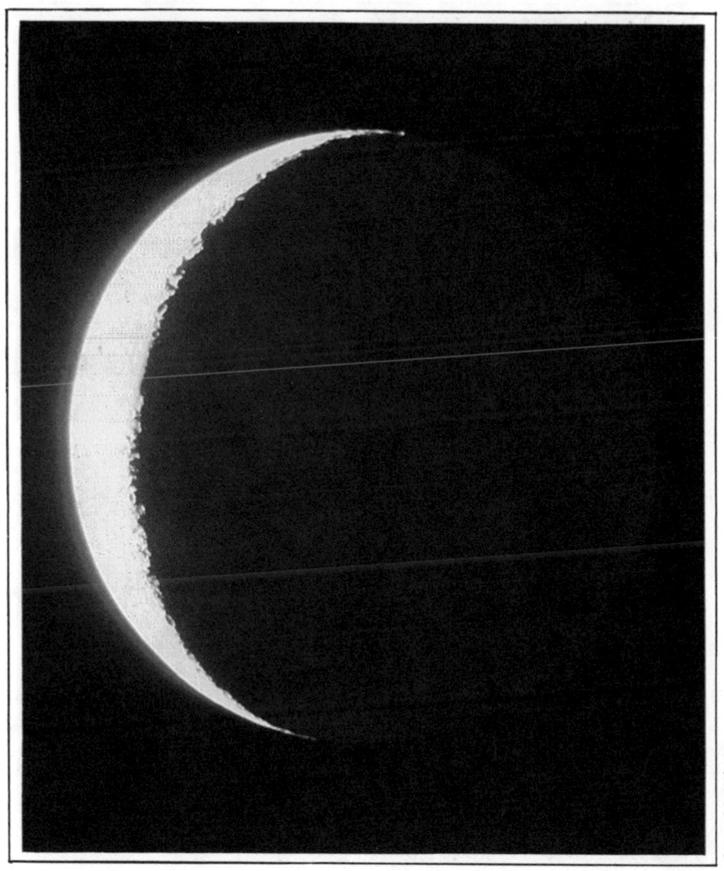

Jean Vallières

La faible lumière éclairant la partie sombre de la Lune se nomme la lumière cendrée. Cette lumière provient d'un clair de Terre éclairant faiblement la portion de la Lune qui est dans la nuit. Photo prise au foyer primaire d'un télescope de 310 mm d'ouverture ouvert à f: 6,3. Temps de pose de 20 secondes sur film de 160 ASA.

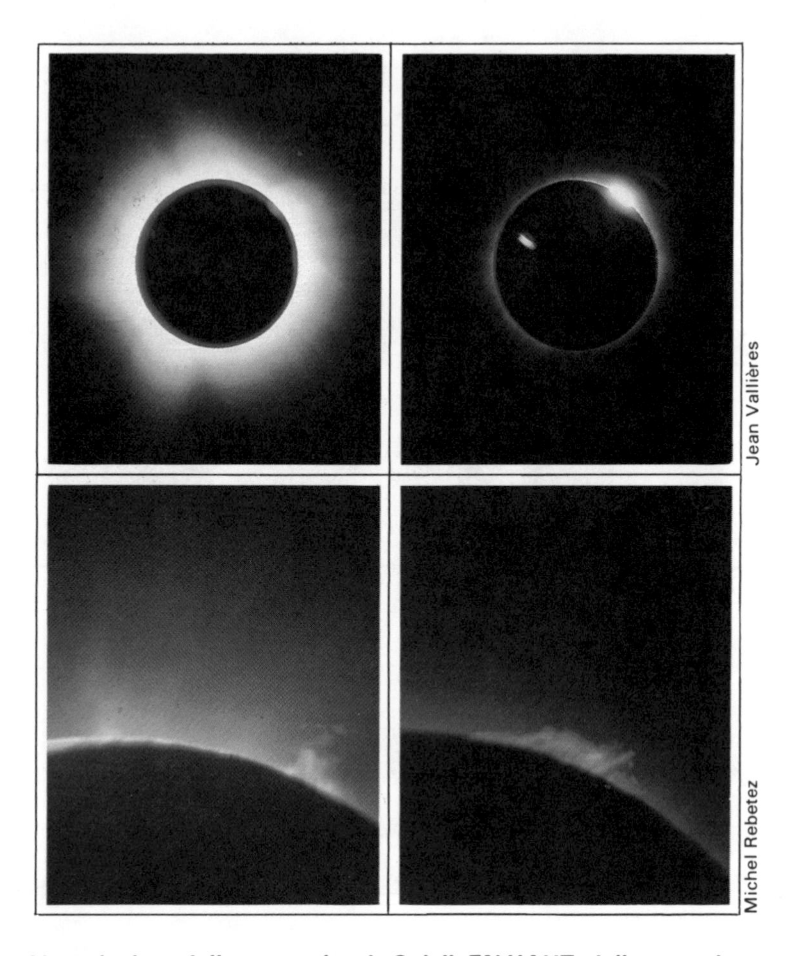

Vues de deux éclipses totales de Soleil. EN HAUT : éclipse totale du 7 mars 1970 photographiée en Caroline du Nord par l'auteur avec une lunette de 125 mm d'ouverture. EN BAS : gros plans des protubérances obtenues par Michel Rebetez avec son télescope de 200 mm d'ouverture. Les grosses protubérances de ces photos ont une altitude d'environ 55 000 km. Photos prises à Melita, Manitoba, lors de l'éclipse du 26 février 1979.

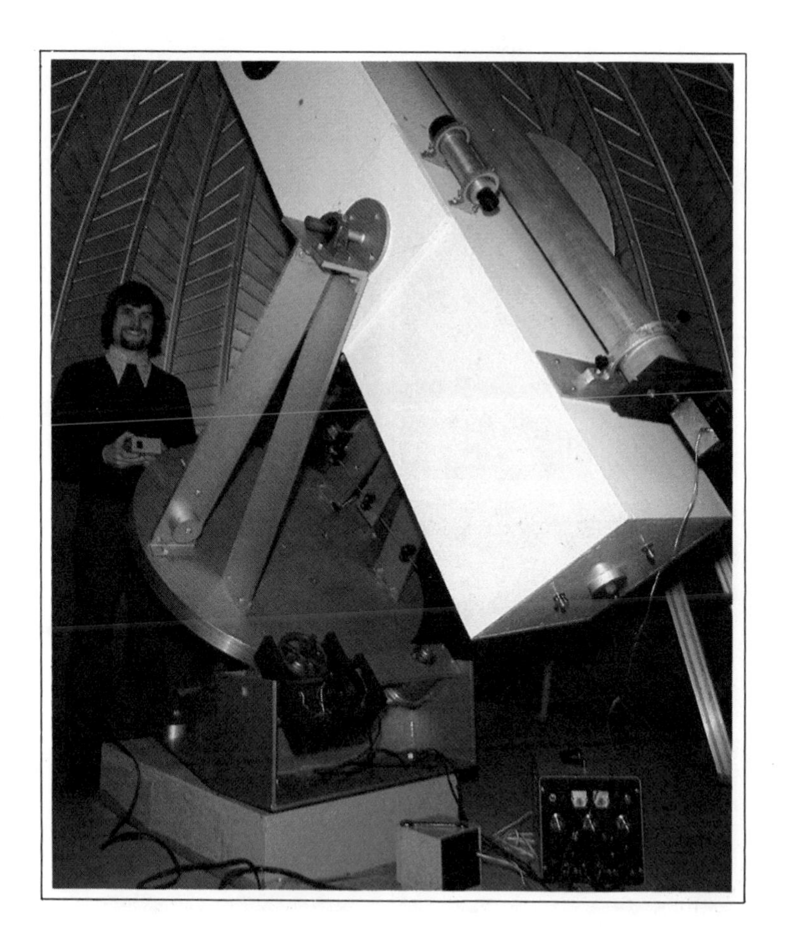

Le télescope de l'auteur. Il s'agit d'un instrument de type Newton muni d'un miroir principal de 310 mm d'ouverture et de 1 930 mm de distance focale. L'entraînement se fait à l'aide d'une grande roue en duralium à bord lisse reposant sur deux roues plus petites dont l'une est motorisée. Ce télescope a servi à prendre plusieurs des photos présentées dans ce volume.

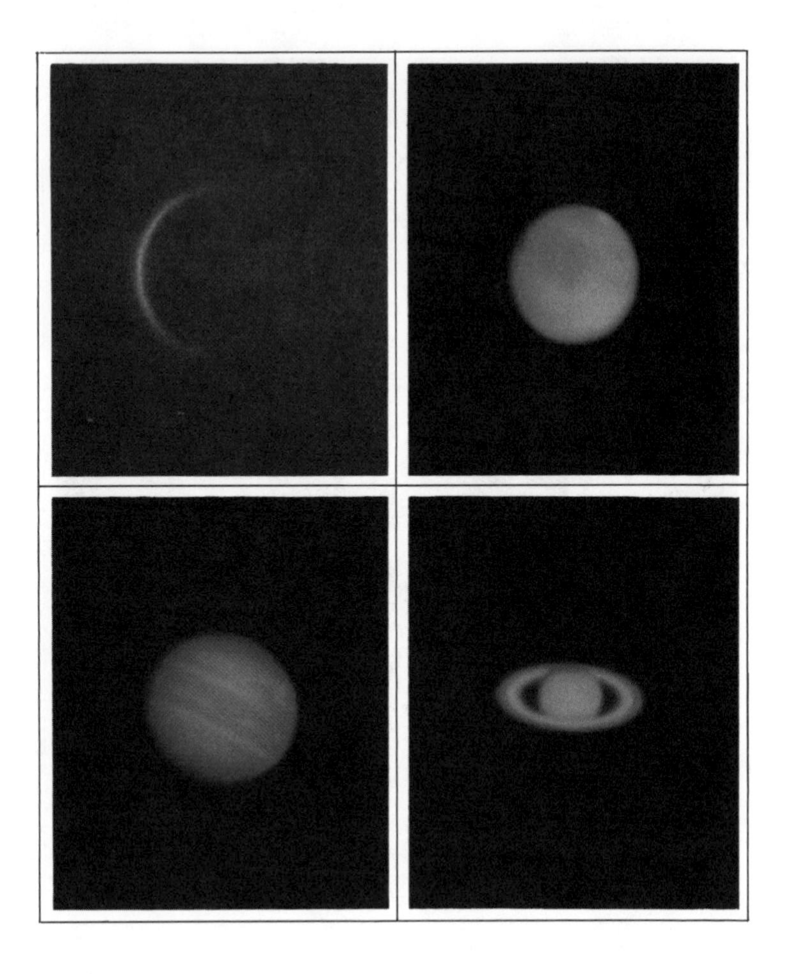

Photos de planètes prises par l'auteur avec son télescope de 310 mm d'ouverture en utilisant la méthode de projection par oculaire. EN HAUT À GAUCHE: Vénus le 11 juin 1972, six jours avant sa conjonction inférieure; À DROITE: Mars le 8 octobre 1973. EN BAS À GAUCHE: Jupiter le 30 septembre 1975; À DROITE: Saturne et ses anneaux en décembre 1974.

e) À partir des coordonnées et des distances des étoiles données dans les éphémérides, construire à l'échelle dans une boîte un modèle en trois dimensions où sont placées les principales étoiles d'une constellation connue, par exemple Orion ou la Grande Ourse. Un trou, sur un côté de la boîte, représente la position de la Terre. Les étoiles sont des boules de plastique dont les positions dans la boîte à partir de ce trou sont calculées d'après les coordonnées célestes et les distances des étoiles à partir de la Terre. Quand on regarde par le trou, on a la surprise de voir la constellation telle qu'elle apparaît dans le ciel.

4.
LUNETTES ET TÉLESCOPES

PARTIE OPTIQUE DES INSTRUMENTS

Depuis que Galilée a pour la première fois scruté méthodiquement le ciel avec sa petite lunette rustique, les instruments de l'astronomie ont connu de nombreuses améliorations. De nos jours, n'importe qui peut se procurer dans un magasin un instrument bien supérieur à celui qui a permis à Galilée de révolutionner la science de son temps.

Marche des rayons dans un instrument

La pièce principale d'un instrument est l'objectif. Dans le cas d'une lunette, cet objectif est une lentille. S'il s'agit d'un télescope, l'objectif est un miroir. Le but de l'objectif est de capter les rayons lumineux provenant de l'objet observé et de les concentrer le plus précisément possible en un point qu'on appelle le foyer (F) pour former une image nette (voir figure 4.1). Le foyer est le point de convergence des rayons provenant d'un objet situé à une distance infinie comme c'est pratiquement le cas pour les astres.

Lentilles et miroirs

La lentille principale d'une lunette converge les rayons lumineux par réfraction, c'est-à-dire par la déviation de ces

Jean Vallières

Très bel instrument construit par M. Henry Coïa, ancien président de la Société d'astronomie de Montréal. Il s'agit d'un télescope de type Cassegrain muni d'un miroir secondaire convexe retournant les rayons lumineux vers l'oculaire à travers un trou percé dans le miroir principal. L'entraînement de la monture à fourche se fait par courroie.

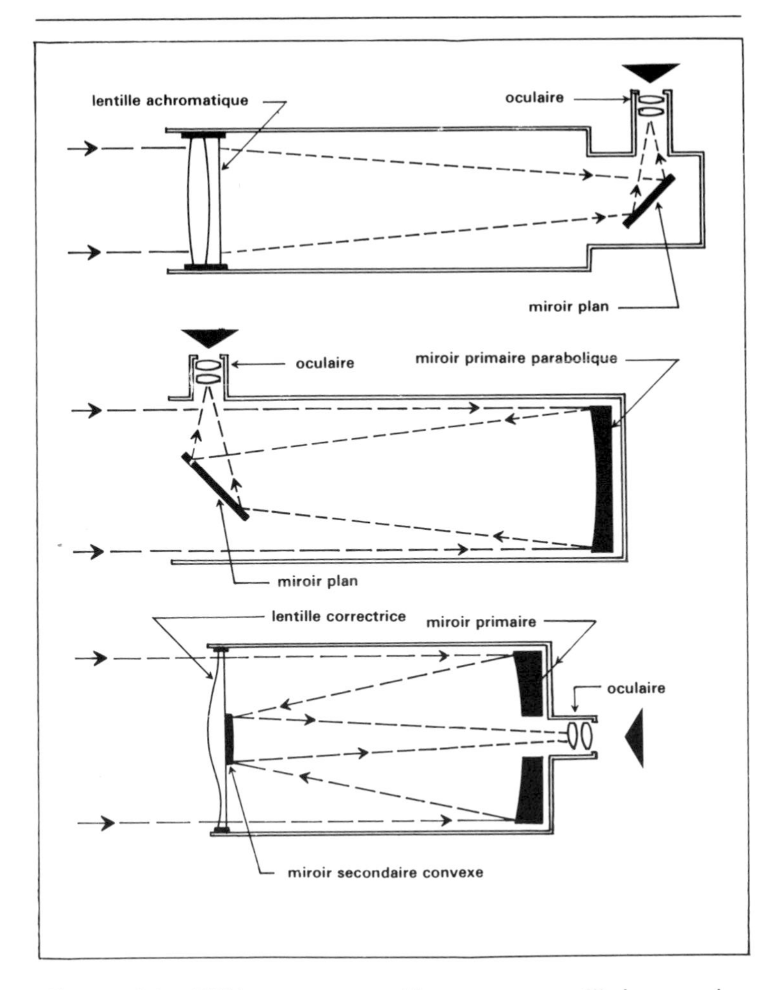

Figure 4.1: Différents types d'instruments utilisés par les astronomes amateurs. **En haut**: lunette astronomique utilisant une lentille achromatique. **Au centre**: télescope de type Newton, le plus populaire et le moins cher. **En bas**: télescope catadioptrique Schmidt-Cassegrain.

rayons lorsqu'ils passent d'un milieu transparent moins dense comme l'air à un milieu plus dense comme le verre, et de même en quittant la lentille en passant du verre à l'air. Il se produit exactement la même chose que dans un prisme (figure 4.2). Nous savons que, dans un prisme, un faisceau de lumière blanche est décomposé en les différentes couleurs qui le constituent. Ce phénomène est causé par le fait que les rayons des différentes couleurs sont déviés avec des angles différents, les bleus étant plus déviés que les rouges, ce qui permet de décomposer la lumière et d'obtenir des spectres. Même si ces spectres sont très utiles en astronomie, cette déviation différente des diverses couleurs constitue ordinairement un défaut dans le cas d'une lentille, puisque le point de convergence ne sera pas le même pour toutes les couleurs. Si on observe au foyer des rayons bleus, une étoile blanche nous aparaît comme un point bleu entouré d'un halo rouge.

Pour remédier à ce défaut de chromatisme, on utilise des lentilles achromatiques qui font converger au même foyer les rayons de toutes les couleurs. Une lentille achromatique est construite avec deux ou plusieurs lentilles simples faites de verres de densité ou d'indice différent qui sont soit collées comme celles de la figure 4.1, soit séparées d'un mince espace.

Dans le cas d'un télescope à miroir, les rayons convergent au foyer après réflexion sur la surface concave du miroir primaire. Il n'y a pas de problème de chromatisme puisque toutes les couleurs sont réfléchies avec le même angle. Un miroir de télescope peut être fabriqué d'un matériau non transparent puisque la lumière ne le traverse pas. Le miroir du télescope utilisé par Newton lui-même était d'ailleurs fabriqué d'un alliage métallique dont la surface était polie. Aujourd'hui, on utilise des matériaux à faible cœfficient de dilatation thermique comme le pyrex, le quartz, la silice fondue, la céramique vitrée, etc. Ce matériau est recouvert d'une mince couche réflectrice d'aluminium déposée par évaporation sous vide.

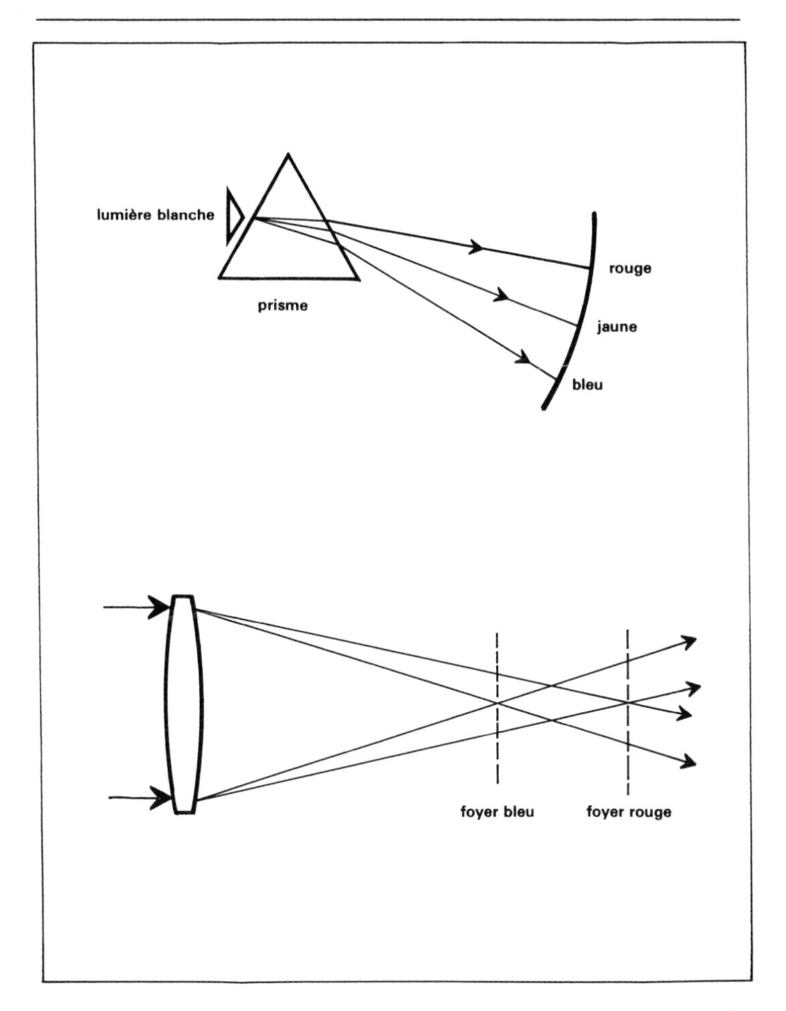

Figure 4.2: Dans un prisme, la lumière bleue est plus déviée que la lumière blanche. Une lentille agit comme un prisme et les rayons de lumière bleue sont plus fortement déviés; il se produit alors que le foyer bleu est plus près de la lentille que le foyer rouge.

Pierre Lemay

Le télescope de 400 mm d'ouverture, f: 5, de l'observatoire d'Indian River, près d'Almonte en Ontario. Ce télescope a été construit au complet, y compris le miroir, par des astronomes amateurs du centre d'Ottawa de la S.R.A.C. Il s'agit de plus de l'instrument qui a permis à Rolf Meyer de découvrir ses comètes.

Il existe un autre type de télescope dit catadioptrique. Dans cet instrument, les rayons traversent d'abord une mince lame correctrice de verre puis sont réfléchis sur un miroir concave. Si les rayons reviennent passer à travers un trou percé au centre du grand miroir après réflexion sur un petit miroir secondaire convexe, il s'agit d'un télescope de type Schmidt-Cassegrain. L'avantage de cet instrument est de donner une image nette sur un plus grand champ de vision que les télescopes conventionnels de type Newton. Ils sont toutefois beaucoup plus coûteux.

Le grossissement

Les rayons provenant du miroir parabolique d'un télescope de type Newton sont déviés par un petit miroir plan secondaire vers le côté du tube où le foyer devient plus facilement accessible. L'image des objets astronomiques se situe toujours au foyer. Si l'on place une pellicule photographique en ce point exact, on obtient une image nette (figure 4.3a). Dans ce cas de photographie au foyer primaire, le miroir primaire du télescope remplace tout simplement l'objectif de l'appareil-photo.

Quel grossissement permet un tel système? Cette question n'a pas tellement de sens puisque l'image obtenue est toujours beaucoup plus petite que l'objet observé. Il s'agit plutôt d'un rapetissement. Il est quand même possible de calculer le diamètre de l'image de la Lune ou d'un autre objet. Comme le montre la figure 4.3b, ce diamètre est proportionnel à la distance focale de l'objectif. La distance focale est la distance qui sépare l'objectif du foyer primaire.

Le tableau 4.4 donne d'abord le diamètre angulaire de quelques objets, sachant qu'un degré (1°) se divise en soixante minutes d'arc (60') et qu'une minute (1') contient soixante secondes d'arc (60"). Par exemple, le diamètre du Soleil ou de la Lune est vu sous un angle d'un demi-degré, ce qui donne 30'. Ce tableau donne ensuite les dimensions linéaires de quelques objets aux foyers d'objectifs de différentes distances focales. Dans ce cas, le grossissement n'a

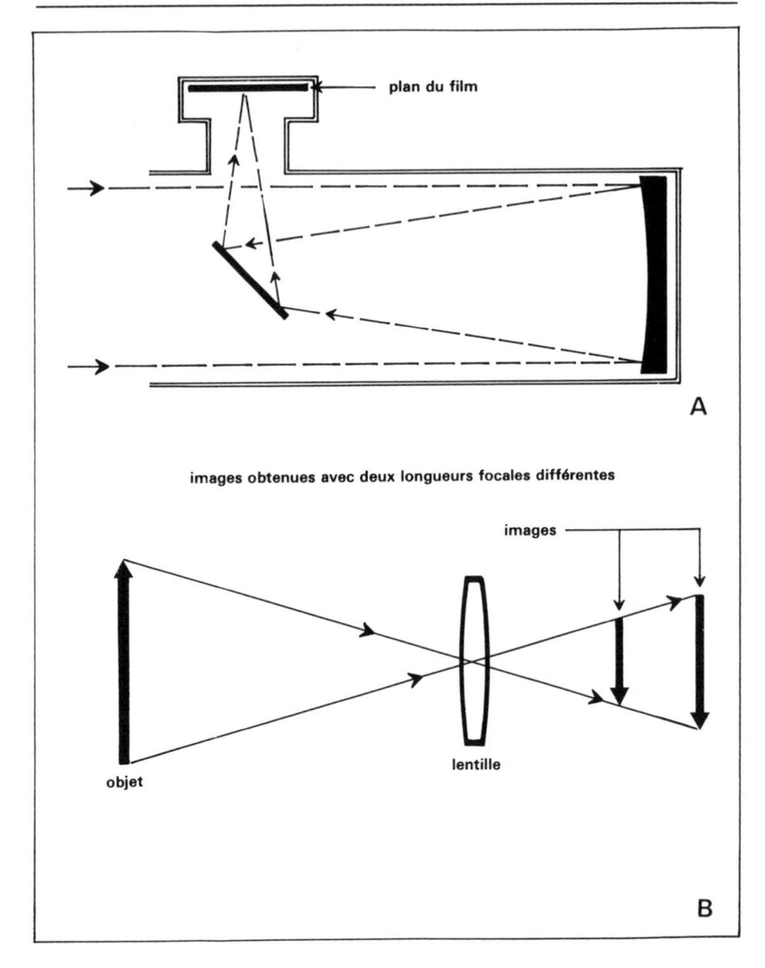

Figure 4.3: **En haut**: pour obtenir une photographie avec un télescope de type Newton, on place le film exactement au foyer primaire de ce télescope. **En bas**: un objectif ayant une distance focale deux fois plus petite qu'une autre donne une image deux fois plus petite.

Distance focale		50 mm	200 mm	400 mm	1 000 mm	2 000 mm
Grossissement		1X	4X	8X	20X	40X
Objet	Diamètre angulaire	Dimensions linéaires en mm				
Constellation d'Orion	20°	17	70	140	350	700
Soleil et Lune	30'	0,44	1,8	3,5	8,7	17
Planète Jupiter	45''	0,01	0,04	0,09	0,22	0,44

Figure 4.4: Ce tableau donne d'abord les grossissements obtenus avec différentes focales en prenant un objectif de 50 mm de focale comme référence. On donne ensuite les dimensions linéaires de quelques objets sur le film. Par exemple, avec un téléphoto de 400 mm de focale, la pleine Lune mesure 3,5 mm de diamètre sur le film ou la diapositive.

de sens que si on le calcule par rapport aux dimensions linéaires d'images obtenues à l'aide d'un objectif de référence, tel l'objectif normal de 50 mm de focale utilisé sur les appareils photographiques 35 mm. Par exemple, un télescope de 1 000 mm de distance focale donne en son foyer primaire des images 20 fois plus larges qu'un appareil-photo 35 mm muni d'une lentille normale.

Le tableau montre bien qu'un appareil-photo muni d'une lentille de 50 mm suffit pour donner une image assez grande d'une constellation sur un négatif de 24×36 mm. Pour la Lune, il faut utiliser un téléobjectif de 400 mm ou plus si on veut voir quelques détails. Enfin, même un télescope de 2 000 mm de distance focale donne une minuscule image de la planète Jupiter.

Les oculaires

Tout le monde a déjà utilisé une loupe pour examiner un objet trop petit pour être vu avec facilité. C'est exactement ce qu'on fait avec un oculaire pour grossir les détails minuscules de l'image au foyer d'un télescope ou d'une lunette. L'oculaire est une petite loupe faite de plusieurs lentilles et grossissant ordinairement beaucoup plus qu'une loupe ordinaire. On sait qu'une loupe plus bombée a une distance focale plus courte et grossit plus qu'une loupe dont le verre est plus plat. C'est la même chose pour un oculaire. Un oculaire plus petit, de plus courte distance focale, grossit plus qu'un oculaire plus volumineux. L'oculaire étant comme une très petite loupe, l'image observée et l'œil de l'observateur sont toujours très rapprochés des lentilles de l'oculaire comme on le voit sur la figure 4.5.

Losqu'un oculaire est utilisé dans un instrument, le grossissement de cet instrument est égal à la distance focale de l'objectif divisé par la distance focale de l'oculaire. Par exemple, si on place un oculaire de 12 mm de focale au foyer d'une lunette de 720 mm de focale, le grossissement obtenu est de 60×. Avec cet instrument le diamètre angulaire de la Lune, qui est de un demi-degré à l'œil nu, passe à 30°.

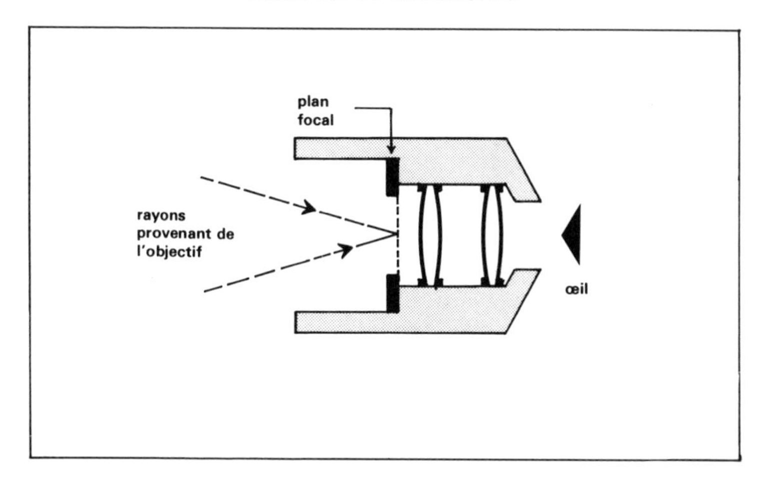

Figure 4.5: Coupe d'un oculaire montrant le plan focal et la disposition des lentilles.

EN BAS: trois oculaires types: un orthoscopique de 6 mm de focale, un symétrique de 12,5 mm et un Kellner de 27 mm donnant respectivement des grossissements de 167×, 80× et 38× avec un télescope de 1 000 mm de focale.

Les oculaires s'obtiennent dans une gamme très étendue de distances focales : de quatre mm jusqu'à plus de 75 mm. Il existe aussi plusieurs qualités d'oculaire. Les plus simples et les moins chers, tels les oculaires de type Ramsden ou Huygens, sont construits de deux lentilles simples. Les oculaires orthoscopiques donnent de meilleures images aux forts grossissements. Il existe aussi de gros oculaires de type Erfle corrigés pour donner des images nettes au bord d'un champ de vision étendu et pouvant contenir jusqu'à sept lentilles. Le prix d'un oculaire peut varier de 20$ à 400$. Ajoutons enfin qu'il est toujours possible d'augmenter le grossissement à volonté à l'aide d'amplificateurs optiques comme par exemple les lentilles de Barlow.

Luminosité

L'objectif a comme fonction de collecter tous les rayons lumineux qui traversent sa surface et de les converger au foyer. La quantité de lumière qui traverse l'objectif est proportionnelle à la surface de cet objectif. Un objectif ayant un diamètre de 200 mm possède une surface quatre fois plus grande qu'un objectif ayant un diamètre de 100 mm. Il peut donc collecter quatre fois plus de lumière, c'est-à-dire qu'il peut permettre d'observer des étoiles quatre fois plus faibles. La quantité de lumière recueillie par un objectif est donc proportionnelle au carré de son diamètre.

Le rapport d'ouverture d'un objectif est le rapport de la distance focale de cet objectif divisée par son diamètre. Dans le cas d'un appareil-photo, ce rapport agit sur le temps de pose. Un téléobjectif de 200 mm de distance focale ouvert à f : 8 est tout simplement diaphragmé à 25 mm de diamètre. De même pour un télescope : si on désire un miroir de 150 mm de diamètre ouvert à f : 8, il faut lui donner une distance focale de 1 200 mm.

Si on veut comparer les résultats obtenus avec le miroir de 150 mm de diamètre et le téléobjectif, tous deux ouverts à f : 8, et en utilisant le même temps de pose pour les deux, disons qu'un objet étendu comme la surface de la Lune paraît

Quelques types d'instruments utilisés par les amateurs. EN HAUT À GAUCHE: un Newton de 150 mm d'ouverture sur une monture allemande construite avec des pièces de plomberie par Gilles Marchand et l'auteur; À DROITE: petit Cassegrain construit par l'auteur dans une monture à berceau transformable en valise. EN BAS À GAUCHE: monture à fourche, œuvre de Jean-Yves Lamoureux et Michel Rebetez; À DROITE: télescope commercial et caméra Schmidt appartenant à Damien Lemay.

aussi brillant dans les deux cas. Cependant, l'image de la Lune a un diamètre six fois plus grand avec le miroir puisque la distance focale de ce dernier est six fois plus longue. Dans les deux cas, les étoiles apparaissent comme des points lumineux. Toutefois, le miroir ayant un diamètre six fois plus grand que le téléobjectif, il permet d'enregistrer des étoiles 36 fois plus faibles.

Pouvoir séparateur

Quels sont les facteurs qui déterminent les plus fins détails qu'on peut observer avec un instrument ? Le premier facteur qui vient à l'idée du profane est la qualité des pièces optiques. Il existe aussi d'autres facteurs importants comme par exemple la turbulence atmosphérique. Les rayons lumineux provenant des astres doivent traverser toute l'épaisseur de l'atmosphère terrestre. On sait que l'air n'est pas un milieu homogène, même par temps clair. Les vents et les différences de température produisent des variations brusques de la densité de l'air. À l'œil nu, la turbulence s'observe par le scintillement des étoiles. Au télescope, elle s'observe par une image floue et mouvante. La turbulence n'a pas toujours la même intensité. Il existe des moments de calme où l'image est plus stable et plus nette.

Le pouvoir séparateur détermine les plus fins détails qu'on peut observer avec un instrument. Par exemple, un pouvoir séparateur d'une seconde d'arc (1") signifie qu'on peut tout juste séparer deux étoiles distantes d'une seconde. Le diamètre angulaire de Jupiter étant de 45", on pourrait théoriquement observer 45 détails consécutifs le long de ce diamètre. L'œil nu a un pouvoir séparateur d'environ 60"; c'est pourquoi les planètes comme Jupiter n'y montrent pas de détails et apparaissent comme des étoiles si on n'utilise pas d'instrument.

L'extrême limite du pouvoir séparateur d'un instrument ne dépend pas de la qualité de l'optique mais de la nature même de la lumière. À cause d'un phénomène appelé diffraction, l'image d'une étoile qui devrait être un point est en réalité une petite tache ronde et floue. Le diamètre de cette tache limite le pouvoir séparateur de l'instrument. Le diamètre de la tache de diffraction varie en fonction de l'inverse du diamètre de l'objectif. Il s'ensuit qu'avec un miroir de 200 mm de diamètre, la tache est deux fois plus petite qu'avec un miroir de 100 mm. Le pouvoir séparateur est deux fois plus fin avec le 200 mm, d'où l'avantage d'utiliser un objectif plus grand. Le tableau 4.6 donne les pouvoirs séparateurs obtenus avec quelques diamètres d'objectifs.

Pour atteindre ce pouvoir séparateur théorique, la turbulence doit être nulle. Cette turbulence contribue souvent à augmenter le diamètre de la tache jusqu'à deux secondes et davantage. De plus l'objectif utilisé doit être parfait. S'il s'agit du miroir d'un télescope de type Newton, la surface réflectrice concave de ce miroir ne doit pas s'écarter de plus de $1/_{100\,000}$ mm de la forme parabolique qu'il doit posséder. Dans le cas d'une lunette, l'objectif doit être en plus parfaitement achromatique.

Diamètre de l'objectif	**Pouvoir séparateur**
60 mm	1,7″
100 mm	1,0″
150 mm	0,7″
200 mm	0,5″
250 mm	0,4″
300 mm	0,3″
400 mm	0,25″

Figure 4.6: Tableau donnant les pouvoirs séparateurs de différents diamètres d'objectifs. Le pouvoir séparateur correspond à l'angle minimum entre deux points qu'un objectif peut séparer.

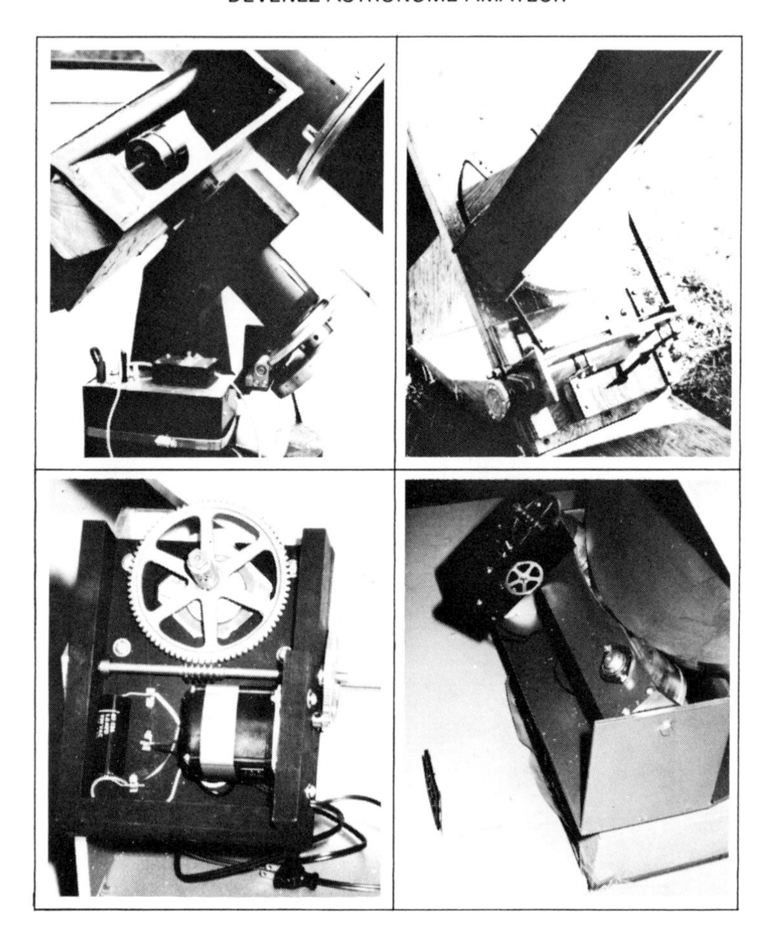

Divers types d'entraînements utilisés dans les montures construites par des amateurs. EN HAUT À GAUCHE: entraînement par engrenage du télescope de l'observatoire Cérès de la Société d'astronomie de Saint-Hyacinthe; À DROITE: entraînement par courroie du télescope de Thierry Moreau. EN BAS: entraînement par roue lisse du télescope de 310 mm de l'auteur.

LES MONTURES

Qualités d'une monture

Pour tirer le maximum de profit de l'optique d'un instrument, celui-ci doit être fixé sur une monture possédant certaines qualités :

Stabilité : Il ne faut pas oublier que les vibrations d'une monture sont amplifiées par un facteur égal au grossissement, ce qui rend l'observation tout simplement impossible avec de forts grossissements et une monture branlante tellement l'image bouge. Les axes doivent être gros et courts. Le tout doit posséder suffisamment d'inertie pour rester insensible au vent. Une monture n'est jamais trop solide.

Douceur : Malgré le poids de l'instrument, l'entraînement doit être régulier et doux. À cause de la rotation continue de la Terre, les astres se déplacent sur la sphère céleste et l'instrument doit continuellement suivre ce déplacement afin de conserver l'objet observé au centre du champ de vision. L'entraînement doux est réalisé lorsque les forces de friction sont bien balancées. Si la friction est trop faible, l'instrument oscille. Une force de friction trop grande donne un entraînement dur : le télescope se déplace par coups.

Précision : Une monture précise possède des axes bien perpendiculaires et s'aligne facilement sur le pôle céleste Nord pour la latitude du poste d'observation. Avec une telle monture, on peut utiliser des cercles gradués pour trouver un astre. Si la monture est entraînée par un engrenage avec vis sans fin sur l'axe polaire, le diamètre de la roue dentée doit être au moins égal au diamètre de l'objectif si on veut un entraînement assez précis pour faire de la photo.

Principe de la monture équatoriale

Une lunette terrestre (figure 4.7) est ordinairement installée sur une monture azimutale qui comprend un axe vertical permettant de viser tous les azimuts et un axe horizontal

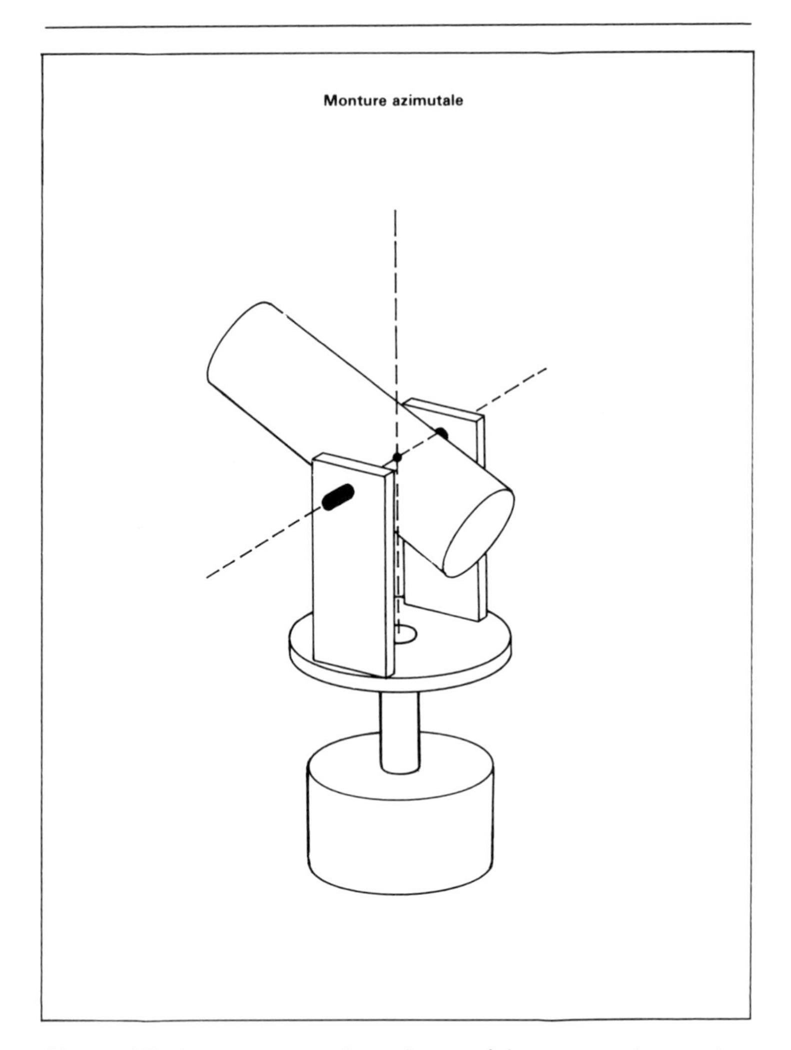

Figure 4.7: La monture azimutale possède un axe de rotation vertical et un autre horizontal. Pour suivre un objet se déplaçant sur la sphère céleste, le mouvement doit se faire dans les deux axes.

permettant de viser différentes hauteurs. Cette monture n'est pas commode en astronomie à cause du mouvement continuel des astres sur une trajectoire inclinée sur la sphère céleste, ce qui nécessite des corrections de visées continuelles dans les deux axes.

La monture équatoriale est orientée de façon à ce qu'il soit nécessaire de tourner un seul axe pour suivre les objets célestes. Il suffit de prendre l'axe vertical de la monture azimutale et de l'incliner pour qu'il devienne parallèle à l'axe de rotation de la Terre (figure 4.8). Cet axe devient l'axe polaire. Pour suivre un astre, le télescope doit demeurer fixe par rapport à la sphère céleste. Pour y arriver, on entraîne l'instrument autour de l'axe polaire à la vitesse de la rotation terrestre mais dans le sens contraire. Le mouvement de la Terre sur laquelle se trouve le télescope est compensé et on vise ainsi continuellement la même direction de la sphère céleste.

Types de montures

La figure 4.9 montre les types de montures équatoriales qu'on rencontre le plus souvent. Il existe en effet plusieurs façons d'aligner l'axe polaire du télescope sur celui de la Terre. La monture allemande est la plus fréquente pour les petits télescopes portatifs commerciaux ou construits par des amateurs. Elle a l'avantage de pouvoir facilement s'installer sur un trépied ou sur une colonne. Son principal défaut est la présence du contrepoids servant à balancer le poids du tube et dont la présence rend l'instrument sensible aux oscillations. Pour des télescopes de plus de 300 mm d'ouverture, il devient nécessaire d'utiliser des montures plus stables mais moins portatives comme la monture à fourche. Les télescopes d'observation utilisent plusieurs types de montures dont la monture à berceau de l'observatoire du Mont Wilson et la monture anglaise de l'observatoire David-Dunlap à Toronto.

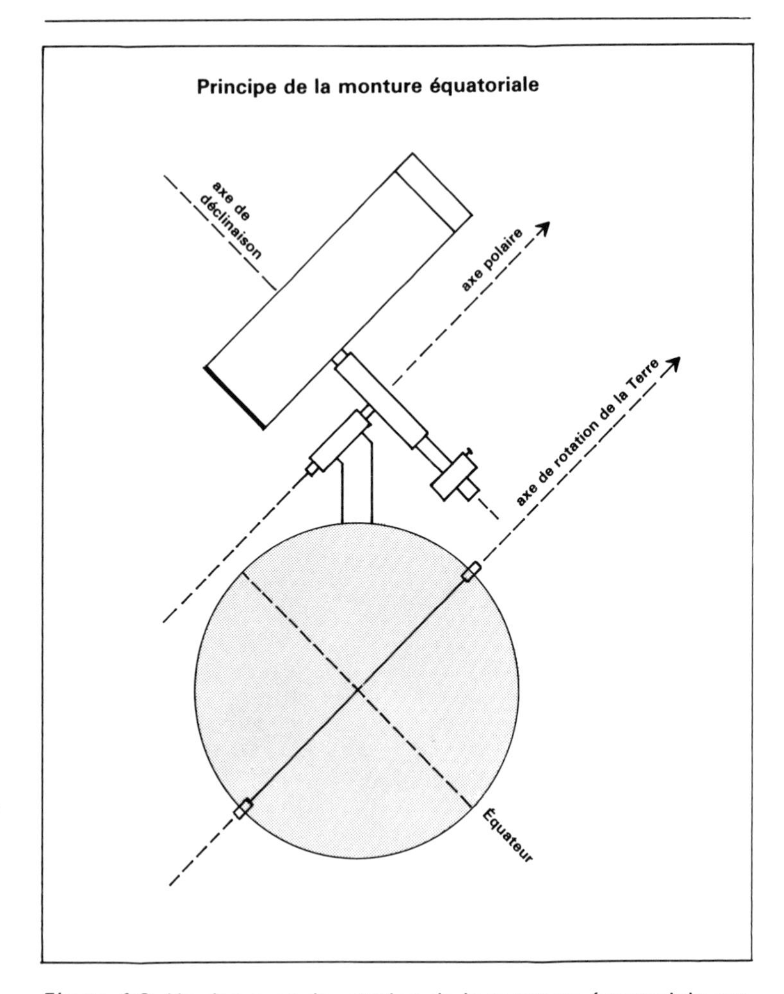

Figure 4.8: Un des axes de rotation de la monture équatoriale est toujours parallèle à l'axe de rotation de la Terre. Alors, pour compenser le mouvement de la Terre, le mouvement du télescope doit se faire seulement selon cet axe, mais dans le sens contraire de la rotation terrestre.

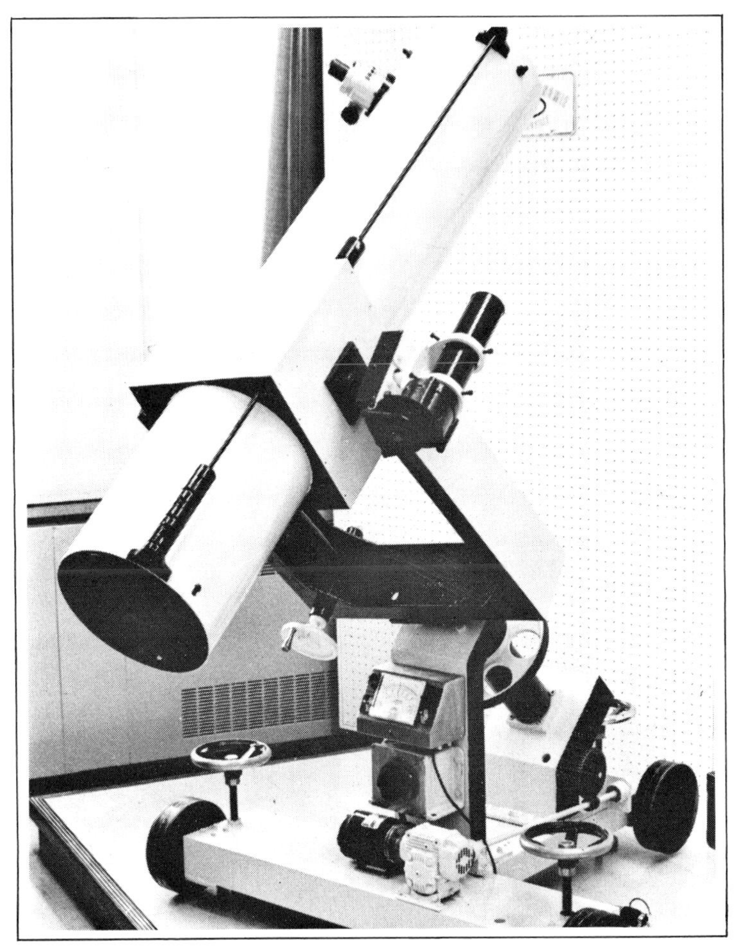

Exemple d'un bel instrument construit par un astronome amateur: M. Gaétan Robichaud du club d'astronomie de Drummondville. Ce télescope de 250 mm d'ouverture possède une monture à fourche très rigide entraînée par un système muni d'un réducteur. Des roues permettent de le déplacer facilement et des leviers aident à l'aligner solidement.

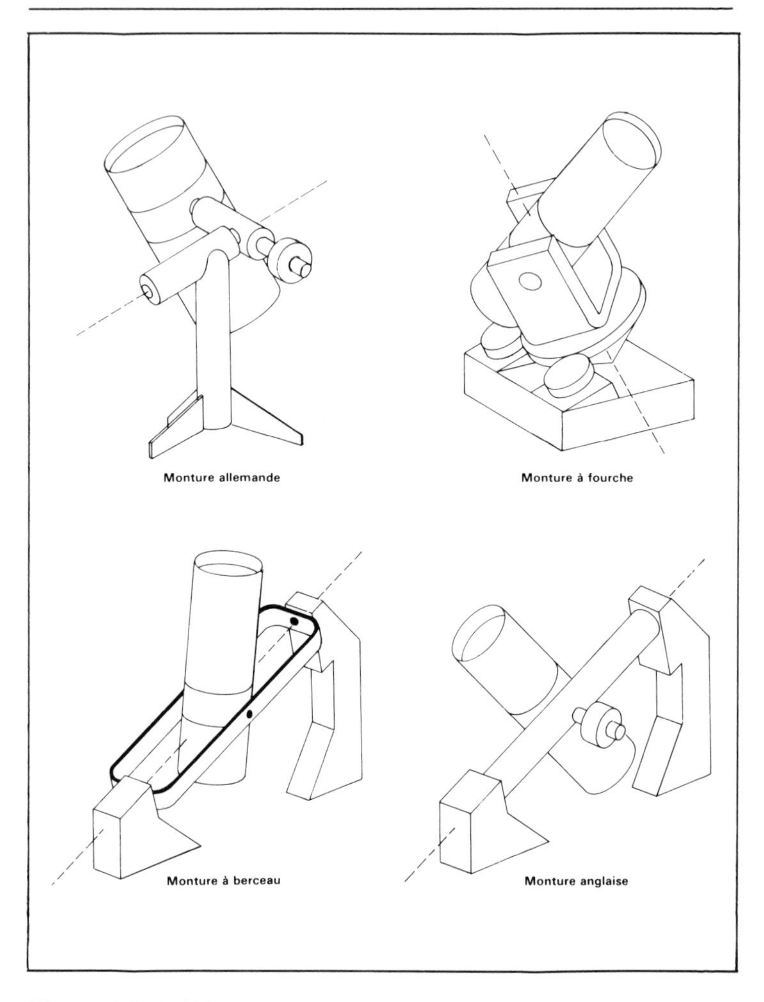

Figure 4.9: Différents types de montures utilisées par les astronomes. La monture allemande est la plus populaire pour les télescopes portatifs des amateurs. Les autres types sont utilisés surtout dans les observatoires amateurs ou professionnels.

ACHAT OU CONSTRUCTION D'UN TÉLESCOPE

Quand le goût nous prend d'observer le ciel avec un instrument, nous avons le choix d'en acheter un ou de le construire. La construction pouvant être une entreprise assez longue, ce peut être une bonne idée d'acheter d'abord un petit instrument prêt à servir et d'acquérir un peu d'expérience d'observation avec cet instrument avant de commencer la construction d'un télescope plus puissant sans faire d'erreurs.

Quoi acheter?

On trouve sur le marché de petites lunettes de 35 à 75 mm d'ouverture. Pour l'astronomie, le diamètre de 60 mm est le minimum si on veut voir quelque chose d'intéressant. Il faut aussi se méfier de la publicité qui vante les énormes grossissements de ces petits instruments. On trouve par exemple des lunettes de 60 mm qui grossissent jusqu'à 400 fois! En pratique le grossissement de 400 ne sera jamais utilisé. Il sera d'abord pratiquement impossible de trouver l'astre à cause du champ de vision extrêmement réduit. Avec ce grossissement, le diamètre du champ est six fois plus petit que celui de la Lune. Si malgré cela on réussit à trouver l'astre, son image oscillera continuellement puisqu'un trépied de petite lunette n'a pas la stabilité suffisante pour supporter de très forts grossissements. De plus, l'image sera floue à cause de la tache de diffraction plus large dans une lunette plus petite. Elle sera enfin très peu lumineuse et sans contraste. Théoriquement avec n'importe quel télescope, même le plus petit, il serait possible de grossir un million de fois tout simplement par un bon jeu d'oculaires et de lentilles amplificatrices. On n'y verrait cependant rien. Il est intéressant de constater que dans la pratique les grossissements les plus utilisés sont les plus faibles et les moyens.

En plus des lunettes, on trouve sur le marché des télescopes à miroirs de type Newton à partir de 75 mm d'ouverture. Théoriquement, un télescope à miroir possède

Franco Cavezzali

EN HAUT, on retrouve quelques instruments primés au concours annuel de Stellafane. **À GAUCHE** : le télescope Newton construit par Claude Picard a remporté le premier prix de mécanique en 1978. **À DROITE** : belle réalisation de Adélard Rousseau et Henry Coïa, premier prix catégorie Cassegrain en 1977. **EN BAS** : mise en station de quelques instruments, lunettes et télescopes, pour l'observation solaire lors d'un stage d'été en astronomie tenu à Val-David.

le même pouvoir séparateur et permet d'observer des étoiles aussi faibles qu'une lunette dont la lentille a le même diamètre puisqu'il collecte la même quantité de lumière. Le télescope est cependant plus sensible à la turbulence à cause de son tube ouvert. La poussière peut aussi se déposer sur les surfaces réflectrices des miroirs, ce qui nécessite des nettoyages plus fréquents. Ces nettoyages doivent être faits avec précaution, en suivant les instructions du manufacturier, si on ne veut pas rayer ou enlever la mince couche réflectrice d'aluminium.

Le télescope réflecteur de type Newton reste cependant le plus populaire chez les amateurs surtout à cause de son coût peu élevé. En effet, un miroir de télescope ne comporte qu'une seule surface réflectrice travaillée tandis qu'un objectif de lunette comprenant deux lentilles comporte quatre surfaces optiquement parfaites. De plus, le verre optique d'une lentille est beaucoup plus cher que le pyrex d'un miroir. C'est pourquoi une lunette revient souvent quatre fois plus cher qu'un télescope de même ouverture. Un télescope de 100 mm d'ouverture qu'on trouve facilement sur le marché permet d'observer des étoiles deux fois plus faibles et donne des images aussi fines qu'une lunette de 75 mm d'ouverture. Cependant ce télescope coûte deux fois moins cher que la lunette. On peut s'attendre à payer 400$ pour le télescope de 100 mm et 800$ pour la lunette de 75 mm.

À l'achat d'un instrument, il ne faut pas être impressionné par les éventuels grossissements. Il faut plutôt vérifier les critères de qualité de l'optique: perfection, luminosité, pouvoir séparateur et achromatisme. Il faut aussi vérifier si la monture est stable, douce et précise.

Il faut enfin se souvenir qu'un bon instrument n'est pas seulement une pièce d'exposition. Il doit être construit pour rendre l'observation agréable et sans problème, que ce soit sur un patio de briques, dans un champ dégagé et exposé au vent à deux heures du matin ou bien sur un terrain de neige durcie lors d'une nuit glaciale d'hiver.

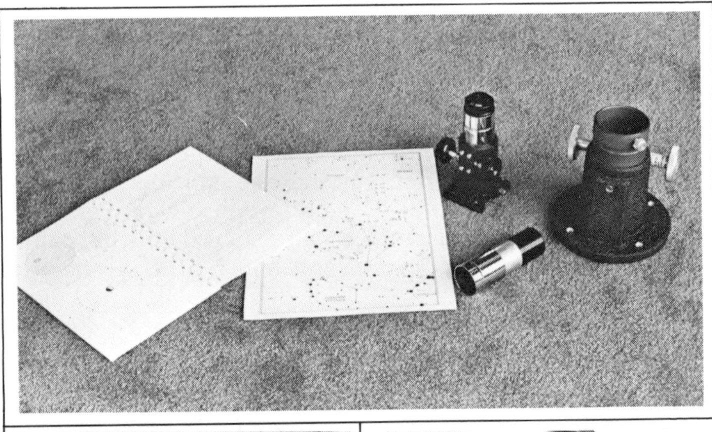

Quelques accessoires utilisés avec un télescope. EN HAUT: un «Annuaire astronomique de l'amateur», une carte du ciel, un porte-oculaire standard avec un oculaire de six mm, une lentille de Barlow et un porte-oculaire de deux pouces pour la photographie astronomique. EN BAS: À GAUCHE: monture avec moteur, engrenages et cercles gradués construite par Hugues Boutet de Rimouski. À DROITE: bloc de guidage électronique contrôlant la vitesse du moteur, réalisé par Robin Arsenault d'après un dessin d'Alphonse Tardif.

Construction d'un télescope

Pour celui qui le désire, il est non seulement possible de construire son propre instrument, mais il s'agit là d'une activité très populaire chez les astronomes amateurs. Plusieurs clubs possèdent leur section sur la construction des télescopes. Des experts sont disponibles pour aider les débutants. Il existe plusieurs volumes sur le sujet dont certains sont décrits à la fin de ce manuel. Chaque année, il y a des concours primant les meilleurs instruments. Enfin, rien ne décrit la sensation d'observer pour la première fois les anneaux de Saturne dans un télescope fabriqué par soi-même.

Il y a plusieurs façons de se construire un télescope. On peut par exemple se procurer toutes les pièces et les assembler. Il existe d'ailleurs un bon nombre de fournisseurs. Au Québec, il y a par exemple le magasin de la Société d'astronomie de Montréal. Ailleurs, il n'y a qu'à regarder les nombreuses annonces dans les revues d'astronomie. On peut aussi se procurer seulement les pièces optiques : miroir primaire, miroir diagonal et oculaire. Dans ce cas, un bon bricoleur peut se fabriquer une monture n'ayant rien à envier à celles qu'on trouve sur le marché.

RÉALISATION D'UN MIROIR DE TÉLESCOPE

Il est possible, pour un amateur persévérant, de construire son télescope de A à Z. Il est cependant très rare de rencontrer des constructeurs ayant tout fabriqué de leurs propres mains, y compris les oculaires et le miroir plan diagonal. Ce sont ordinairement les seules pièces qui ne sont pas faites à la main dans un tel projet. En effet, ces pièces demandent une technique de fabrication plus compliquée et plus difficile que celle utilisée dans la construction de la monture ou du miroir principal.

La réalisation du miroir principal est une pratique très répandue chez les astronomes amateurs. Il suffit pour s'en convaincre de se rendre dans le local utilisé par la Société

Pierre Arpin

Chaque année, au début du mois d'août, des centaines d'astronomes amateurs et de constructeurs de télescopes se rencontrent sur un site nommé Stellafane, dans le Sud du Vermont. C'est l'endroit idéal pour rencontrer tous les types imaginables de télescopes, certains construits avec du matériel peu coûteux, d'autres très perfectionnés. EN BAS : deux instruments québécois : celui de Michel Rebetez à gauche et celui de Paul Houde à droite.

d'astronomie de Montréal au Jardin botanique et d'y voir des jeunes et des moins jeunes gruger le pyrex de leurs premiers miroirs sous les yeux de moniteurs experts. Plusieurs récidivent et se font une spécialité dans ce domaine. On a déjà vu un amateur de Montréal se rendre à son centième miroir! Jusqu'ici, l'auteur s'est rendu à six. En effet, après avoir construit un instrument assez modeste comme premier essai, ce qui est d'ailleurs à conseiller, on rêve d'un plus gros, d'un 200 mm, d'un 300 mm, et ainsi de suite. On recommande donc de garder les «grands projets» pour plus tard et de s'en tenir, comme première expérience, à un diamètre maximum de 150 ou 200 mm. Sur un plus petit miroir, une erreur se corrige plus vite et on peut le terminer plus rapidement. On peut s'attendre à travailler environ cent heures sur un miroir de 200 mm.

La popularité de cette pratique dépend non seulement de l'information disponible sur le sujet sous forme de volumes mais aussi de la vente d'ensembles ou «kits» comprenant tout le matériel nécessaire à la construction d'un miroir.

Contenu d'un ensemble à miroir

Ces ensembles sont par exemple disponibles pour tous les diamètres standards au magasin de la Société d'astronomie de Montréal (voir l'adresse à la fin). Dans son catalogue de 1985, les prix étaient de 60 $ pour un 150 mm, 100 $ pour un 200 mm, 200 $ pour un 250 mm et 300 $ pour un 320 mm. Si on veut tout de suite un miroir fini, il faut multiplier ces prix par environ 2,5.

Un ensemble contient d'abord deux disques. Le premier est celui qui deviendra le miroir. Il est toujours en pyrex et son épaisseur est le sixième du diamètre. Le second disque se nomme l'outil. Il a le même diamètre que le miroir et peut être fait en verre, en pyrex ou en céramique. L'ensemble contient aussi les abrasifs. Il s'agit de carborundum ou d'émeri en grains. Ils sont fournis en récipients contenant une demi-douzaine de grosseurs différentes. Le plus grossier est comme celui qu'on rencontre sur le papier émeri # 80 ou # 60.

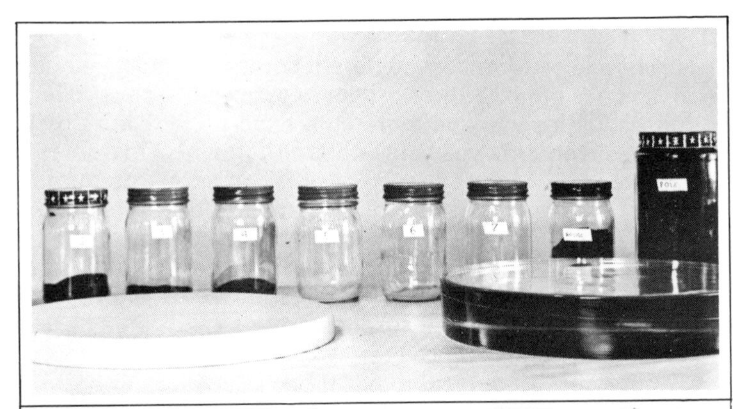

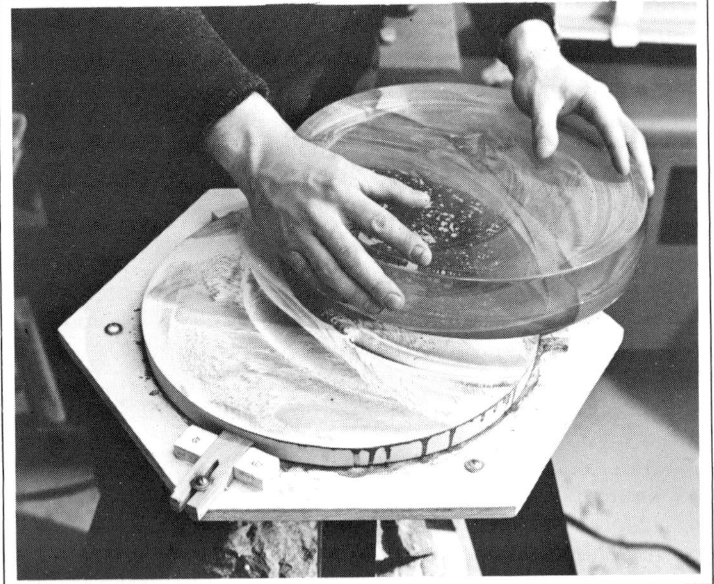

Jean Vallières

EN HAUT : contenu d'un « kit » pour réaliser un miroir de télescope comprenant un disque pour le miroir, un autre pour l'outil, les abrasifs en poudre, le rouge à polir et la poix. EN BAS : courses d'ébauchage où le centre du miroir s'use contre le bord de l'outil.

Le plus fin a la texture d'une poudre de bébé. L'ensemble contient enfin le rouge à polir et la poix, sorte de résine noire utilisée lors du polissage.

Les premières étapes du travail

Les renseignements donnés ici ne sont pas suffisants pour permettre la réussite dans cette entreprise quand même assez délicate. L'éventuel opticien amateur devrait d'abord lire un volume spécialisé sur le sujet (voir la bibliographie); on veut seulement ici que le lecteur se fasse une idée de ce qui l'attend.

La première étape est l'ébauchage. On installe l'outil bien inséré entre trois cales sur un poste, petite table très solide autour de laquelle le constructeur peut circuler. On enduit la surface de cet outil d'un mélange d'eau et d'abrasif #80, ou le plus grossier du «kit». On dépose ensuite délicatement le miroir sur l'outil. La surface à travailler est celle qui touche l'outil. Il s'agit maintenant de frotter les deux disques l'un contre l'autre en appuyant surtout le centre du miroir sur le bord de l'outil. On comprend qu'avec ce genre de courses, le centre du miroir et le bord de l'outil s'usent plus vite que les autres parties. Il en résulte que le miroir devient rapidement concave et que l'outil devient rapidement convexe.

Pour obtenir la courbure voulue, on doit renouveler plusieurs fois le mélange eau-abrasif. De temps en temps, on tourne le miroir entre ses mains et on circule autour du poste pour varier la direction des courses. Quand on obtient enfin la profondeur d'usure désirée, la forme du miroir est loin d'être une sphère parfaite. Il faut ensuite continuer avec des courses centrées de faible amplitude, 15 minutes miroir dessous, 15 minutes miroir dessus, et ainsi de suite jusqu'à ce que les deux disques soient en contact sur tous les points de leurs surfaces. Ils sont alors tous les deux sphériques.

L'étape suivante est le doucissage. Il s'agit de rendre la surface du miroir de plus en plus douce. L'abrasif grossier a l'avantage de creuser le miroir plus rapidement que ne

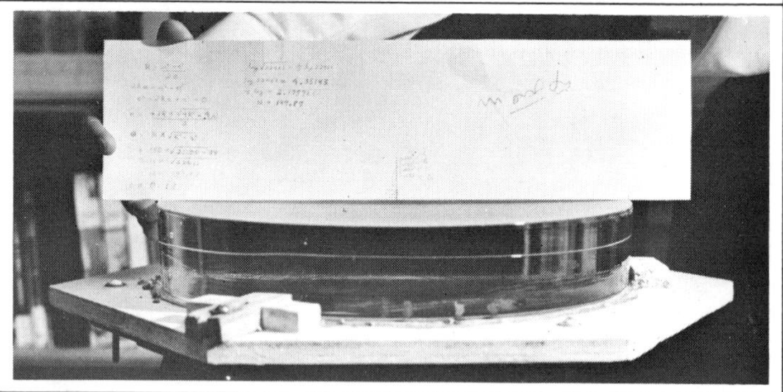

EN HAUT: courses centrées utilisées lors du doucissage pour obtenir une surface de plus en plus régulière. EN BAS: vérification grossière du rayon de courbure d'après la profondeur de la flèche. Un sphéromètre donnerait une plus grande précision.

l'aurait fait un abrasif plus fin. Cependant, il laisse les traces d'un dépoli très rugueux. C'est pourquoi, une fois la bonne courbure obtenue avec le plus gros abrasif, on continue ensuite avec des courses centrées en utilisant des abrasifs de plus en plus fins. La durée du travail avec chaque abrasif est celle nécessaire pour faire disparaître toutes les plus grosses piqûres laissées sur la surface du miroir par le grain précédent. Cette durée peut varier de 20 à 60 minutes pour chaque abrasif.

Il est très important, entre chaque changement de grosseur de grain, de faire un nettoyage complet et minutieux des disques et du poste de travail. Un seul grain plus gros laissé par mégarde pourrait provoquer une rayure sur la surface à une étape ultérieure. La seule façon de faire disparaître cette rayure serait alors de revenir à la grosseur du grain qui l'a provoquée. À la fin du doucissage, la surface du miroir est très douce mais non polie.

Le polissage

Pour rendre la surface du miroir complètement polie, on utilise le rouge à polir des opticiens. Il faut de plus enduire la surface de l'outil de petits carrés de poix d'environ 25 mm de côté et de quatre mm d'épaisseur. La poix est une résine qui a la consistance du goudron. Elle est cassante à basse température. Avec de la chaleur, on peut la rendre molle et malléable et même la faire fondre. À la température de la pièce, la pression de l'ongle y laisse une légère marque. Avant de commencer le travail, on fait un pressage avec le miroir légèrement chaud sur l'outil afin que tous les carrés de poix s'égalisent et soient partout en contact avec la surface du miroir. On a soin d'intercaler un papier ciré entre le miroir et les carrés de poix, sinon le miroir y resterait collé!

On enduit ensuite la surface du miroir et les carrés d'un mélange d'eau et de rouge à polir; puis on commence le polissage avec des courses centrées, miroir dessus, miroir dessous, semblables à celles utilisées depuis la fin de l'ébauchage. Au bout d'une heure, on voit déjà la surface du

Les différentes étapes de la construction du polissoir par la méthode des carrés de poix rapportés: EN HAUT: À GAUCHE: coulage de la poix dans des moules en formes de barres. À DROITE: découpage des carrés avec un couteau chaud. EN BAS: À GAUCHE: ramollissement de la poix pour la rendre collante; À DROITE: collage des carrés sur l'outil.

miroir s'éclaircir notablement, mais il faut au moins dix heures pour obtenir un miroir complètement poli.

La parabolisation

Le polissage devrait nous avoir donné un miroir sphérique, la sphère étant la surface générée automatiquement avec les courses centrées. Pour un miroir de télescope, la surface doit être parabolique, car seul un miroir de cette forme réfléchit en un même point, le foyer, les rayons provenant d'un objet situé à une distance infinie ou très éloignée (figure 4.10). La parabolisation du miroir se fait à la fin du polissage en utilisant des courses centrées de grande amplitude avec le miroir dessus.

Si l'on désire un miroir parfait dont le pouvoir de résolution est limité non pas par les défauts de sa surface mais par la nature de la lumière, le plus gros défaut de sa surface par rapport à la parabole parfaite ne doit pas dépasser 70 millionnièmes de millimètre! Aucun appareil mécanique ne peut détecter un si petit défaut. Heureusement, dès 1859, Léon Foucault, astronome à l'observatoire de Paris, inventa une méthode optique simple pour contrôler la forme du miroir durant le polissage. L'appareil de Foucault peut être construit pour quelques dollars avec du matériel facile à trouver. Cet appareil permet littéralement de «voir» et de mesurer la forme de la surface du miroir et de détecter des défauts au moins dix fois plus petits que ceux qu'on peut tolérer.

Léon Foucault est de plus célèbre pour son fameux pendule (de Foucault) avec lequel il démontra la rotation de la Terre. Il inventa un appareil pouvant mesurer la vitesse de la lumière avec un miroir rotatif.

L'aluminure

La surface du verre ne réfléchit que cinq pour cent de la lumière incidente. Il reste donc à la recouvrir d'une couche réflectrice suffisamment mince et uniforme pour ne pas altérer la qualité du miroir. Anciennement, on recouvrait la

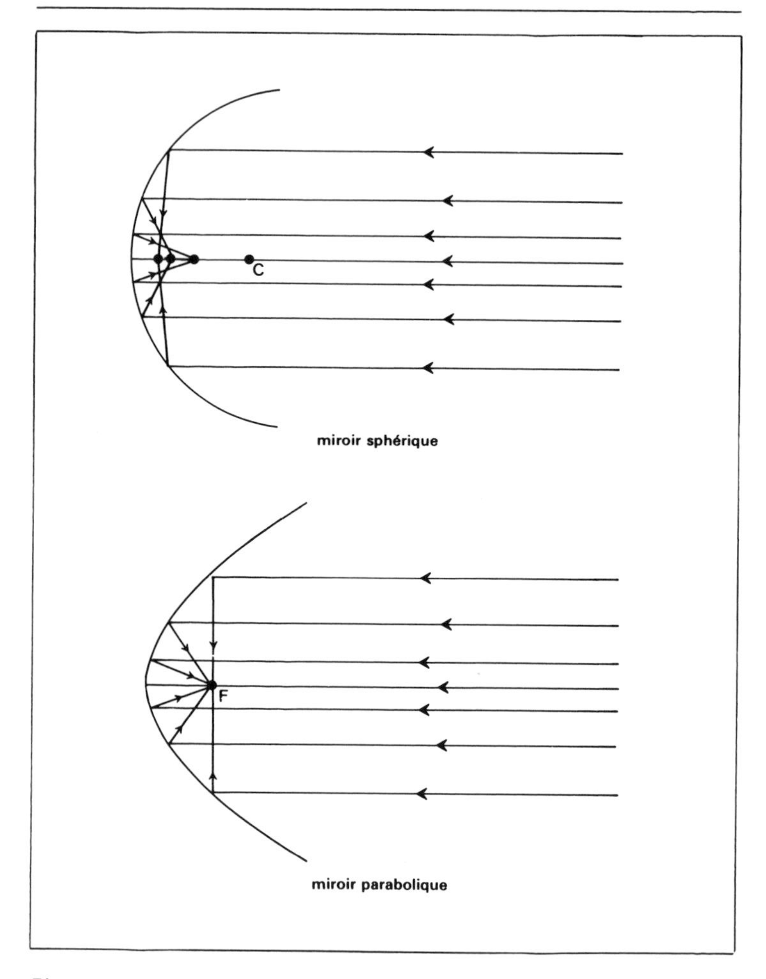

Figure 4.10: Dans le cas d'un miroir sphérique, les rayons parallèles provenant d'un objet situé à l'infini ne sont pas réfléchis vers un même point et ne peuvent pas former une image nette. Avec un miroir parabolique cependant, tous ces rayons sont réfléchis vers le même foyer.

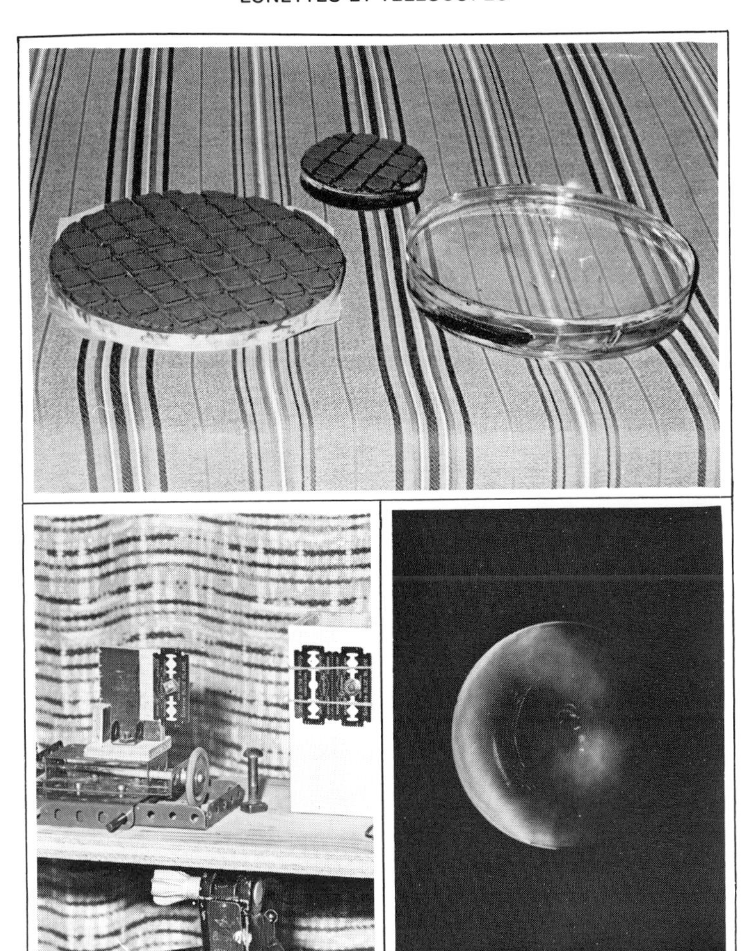

EN HAUT: miroir complètement poli, grand outil recouvert de poix et de rouge et petit outil utilisé pour la parabolisation. EN BAS: À GAUCHE: appareil de Foucault très simple comprenant une source de lumière passant entre les couteaux de deux lames de rasoir et À DROITE: «foucaultgramme» obtenu avec cet appareil pendant la réalisation du miroir.

surface du miroir d'une couche d'argent déposée par réduction chimique. On dépose aujurd'hui une mince couche d'aluminium par évaporation sous vide. On atteint ainsi un pouvoir réflecteur de 90 pour cent. Cette couche d'aluminium est très fragile et ne doit jamais être touchée avec les doigts.

L'appareillage nécessaire à l'aluminure est compliqué et coûte plusieurs milliers de dollars. On doit donc faire aluminer le miroir à l'extérieur. Au Québec, la Société d'astronomie de Montréal possède ce qu'il faut et offre ce service à un prix très raisonnable.

Pour celui qui construit au complet son télescope, l'expérience démontre que la réalisation du miroir principal compte pour la moitié du travail. L'autre moitié consiste en la construction de la monture. Dans un bon instrument, le miroir et la monture doivent être parfaits tous les deux. Les meilleurs instruments sont construits par des amateurs habiles et perfectionnistes. Leur qualité dépasse souvent de beaucoup les instruments vendus sur le marché, et pour un prix souvent moindre.

5.
CE QU'ON VOIT DANS UN TÉLESCOPE

LE SYSTÈME SOLAIRE

Nous allons choisir comme exemple un télescope de 150 mm d'ouverture ayant une distance focale de 1 200 mm et pouvant grossir de 40 fois (oculaire de 30 mm) à 200 fois (oculaire de six mm). Il s'agit là de ce qu'on peut appeler le télescope moyen utilisé par les astronomes amateurs. Naturellement, avec ce modeste instrument, il ne faut pas s'attendre à voir tous les détails obtenus sur les photos du mont Palomar avec des heures d'exposition. On possède cependant un instrument beaucoup plus puissant que celui utilisé par Galilée.

La Lune

On voit cratères, montagnes, rainures, etc, aussi clairement que sur n'importe quelle photo obtenue par un télescope terrestre et qu'on peut trouver dans un beau volume d'astronomie. À chaque jour, la phase lunaire change et on voit des détails différents. Il est préférable d'observer aux environs du premier ou du dernier quartier, lorsque le Soleil éclaire la Lune de côté et que les ombres projetées sont plus longues, ce qui rend le relief lunaire plus apparent.

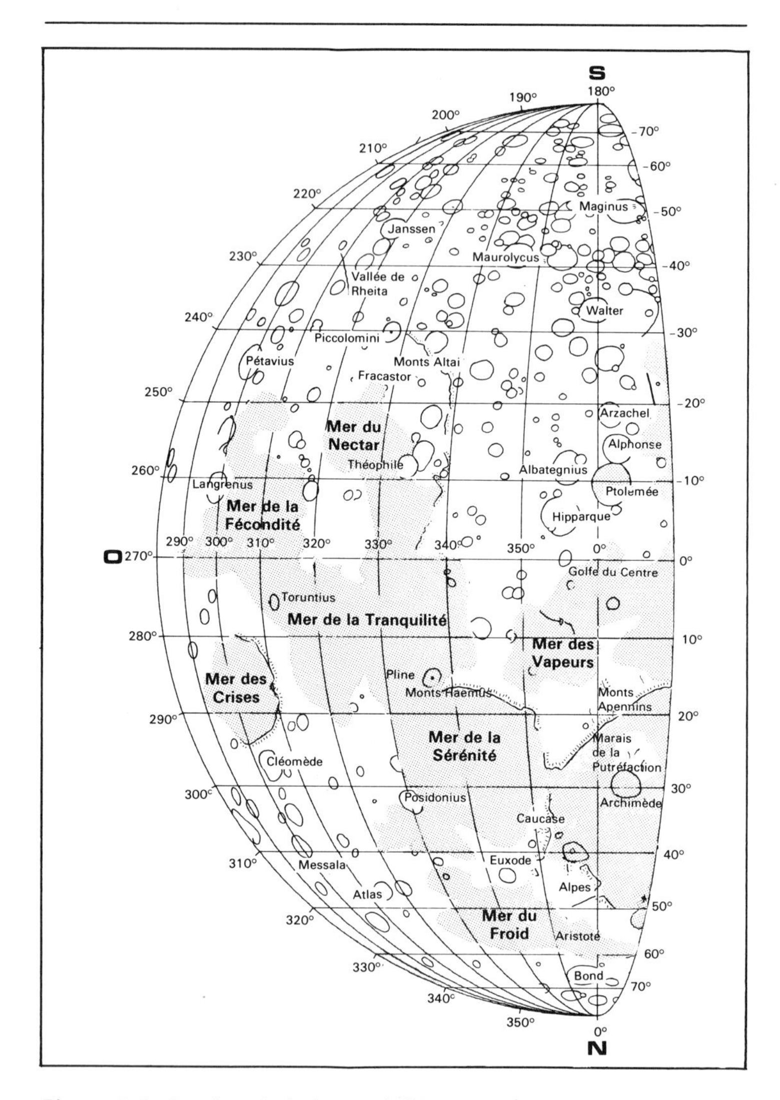

Figure 5.1 : Portion de la Lune visible vers le premier quartier.

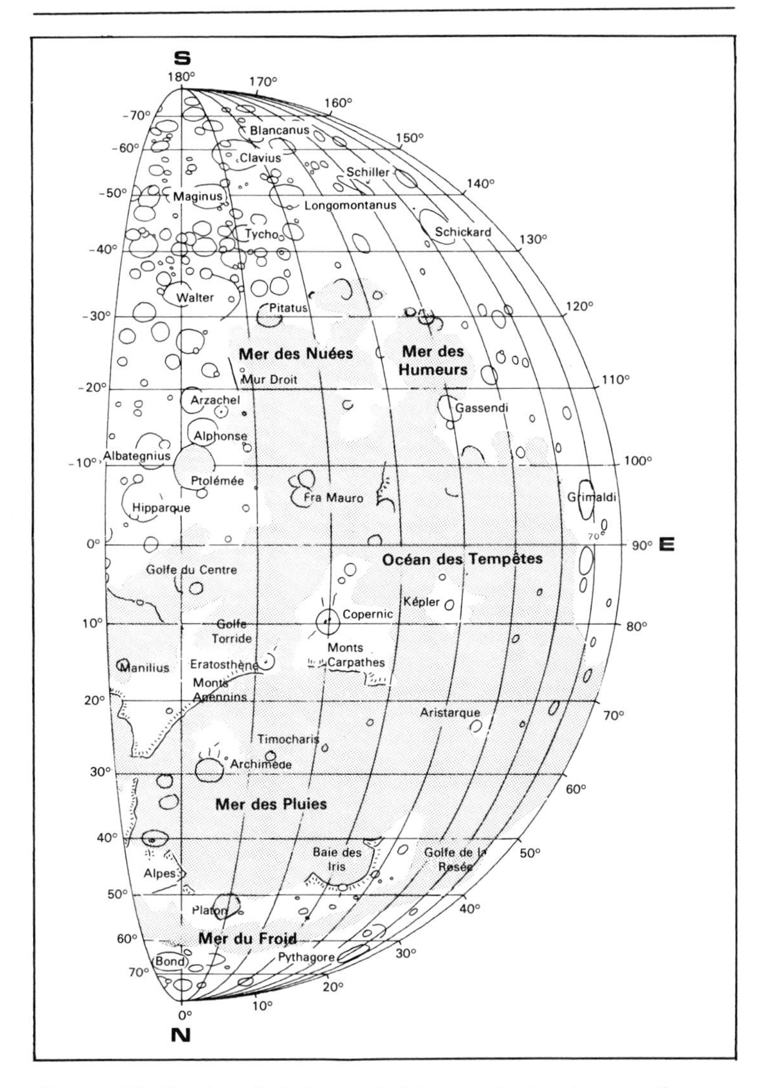

Figure 5.2: Portion de la Lune visible vers le dernier quartier.

D'autre part, à la pleine Lune, on distingue mieux les «mers» lunaires, grandes étendues recouvertes d'immenses coulées de lave plus sombres que le reste de la surface. C'est aussi aux environs de la pleine Lune que les rayons irradiant des cratères Tycho, Copernic et Képler sont plus apparents et lui donnent un aspect de ballon en trois dimensions.

Le Soleil

En utilisant les précautions et les filtres nécessaires, on peut voir les taches solaires présenter de jour en jour leurs formes variables. On distingue bien le centre, plus noir, et la partie grise, autour, nommée pénombre. Les taches peuvent se dédoubler, apparaître ou disparaître. Elles sont entraînées par la rotation du Soleil sur lui-même, qui dure environ un mois. Un grand filtre placé devant l'objectif est préférable à un filtre placé dans l'oculaire qui risque de craquer par échauffement. On peut aussi projeter l'image du Soleil sur un écran blanc placé devant l'oculaire, ce qui constitue la méthode la moins dangereuse pour les yeux.

Les planètes

Il faut s'attendre à voir les disques planétaires très petits, même à forts grossissements. Jupiter, observée par exemple avec un grossissement de 75×, paraît avoir un diamètre double de celui de la Lune à l'œil nu. Avec un télescope de 150 mm d'ouverture, chaque planète présente cependant des détails qui lui sont propres.

Mercure et Vénus

Les deux planètes inférieures, Mercure et Vénus, nous montrent leurs phases changeantes et leurs diamètres apparents variables. Ces deux planètes, toujours proches du Soleil, s'observent dans les lueurs du crépuscule ou de l'aurore. Vénus est même très facile à observer en plein jour au télescope. Sur un fond de ciel bleu, son éclat paraît moins aveuglant.

Situé sur un terrain de six arpents à 40 km de Saint-Hyacinthe et à 35 km de Drummondville, l'observatoire Cérès et son télescope de 250 mm d'ouverture furent construits par les membres de la Société d'astronomie de Saint-Hyacinthe. Le toit coulissant de l'observatoire permet un démarrage rapide des observations, le télescope étant toujours parfaitement aligné sur sa colonne de ciment enfouie jusqu'à huit pieds de profondeur dans le sol.

Comment se présente Vénus au télescope comme étoile du soir? On peut commencer à l'observer quelques mois après sa conjonction supérieure de l'autre côté du Soleil (figure 3.11). Éloignée de nous et éclairée de face, elle nous montre alors un tout petit disque blanc sans détails. Pendant trois ou quatre mois, elle continue à se rapprocher de nous tout en semblant s'écarter du Soleil, et ceci jusqu'au moment de l'élongation maxima (46°). Étant éclairée de côté, elle apparaît alors comme une demi-Vénus, comme la Lune au premier quartier. Vénus étant entièrement recouverte de nuages, on n'y remarque aucun détail permanent. Des observateurs chevronnés peuvent seulement distinguer parfois des plages plus ou moins sombres sur sa surface nuageuse.

Ensuite, Vénus est encore observable pendant un peu plus d'un mois. Elle continue sa course en se rapprochant de nous mais son écart avec le Soleil paraît maintenant diminuer. Au télescope, elle paraît alors comme un croissant de plus en plus grand mais de plus en plus effilé. Au moment de sa conjonction inférieure, quand elle est en ligne entre nous et le Soleil, elle n'est plus observable, à moins qu'elle ne s'adonne à passer devant le disque de l'astre du jour comme cela se produira la prochaine fois le 8 juin 2004. Quand Vénus est étoile du matin, cette suite d'observations qu'on vient de décrire se fait dans l'ordre inverse.

Mercure est une planète plus difficile à observer. Quand le Soleil se couche, elle est toujours très près de l'horizon et ne se couche elle-même jamais plus d'une heure et demie après le Soleil. Le diamètre apparent de son disque est en moyenne quatre fois plus petit que celui de Vénus. Ses phases se suivent dans le même ordre que celles de Vénus, mais plus rapidement.

Mars

La distance entre Mars et la Terre varie énormément. Pour cette raison, il ne faut pas se surprendre si son diamètre paraît cinq fois plus grand lors de son opposition (figure 5.3)

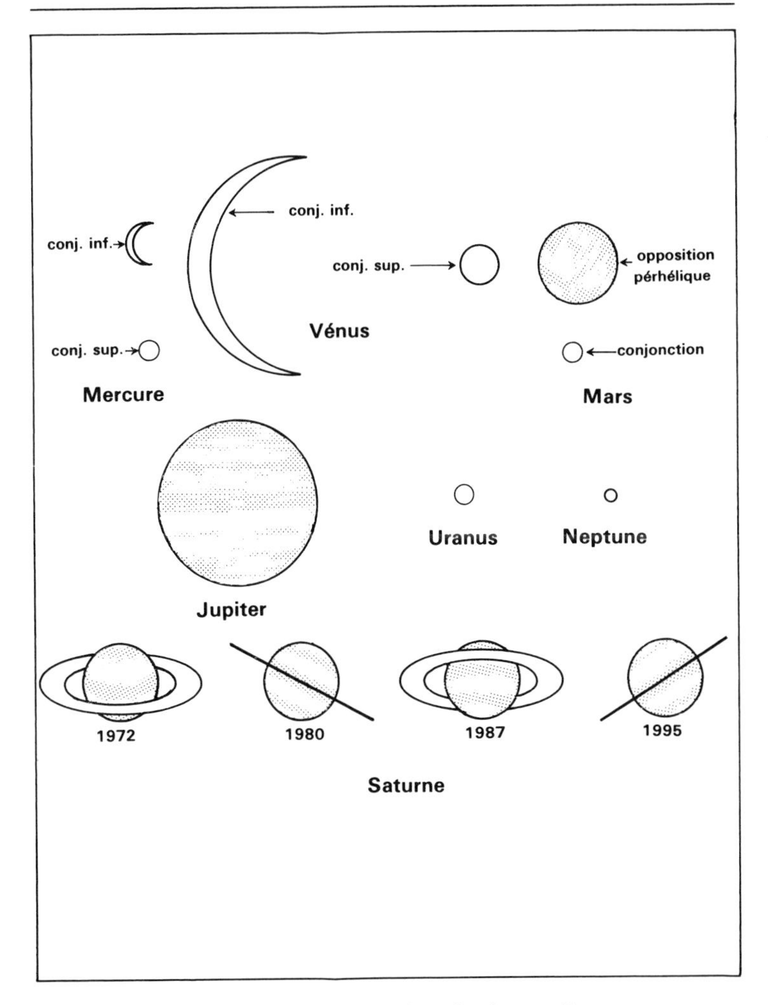

Figure 5.3: Diamètres apparents des planètes telles que vues au télescope de la Terre. En observant cette figure d'une distance d'un mètre, ces planètes ont les mêmes dimensions apparentes qu'avec un télescope grossissant 200 fois.

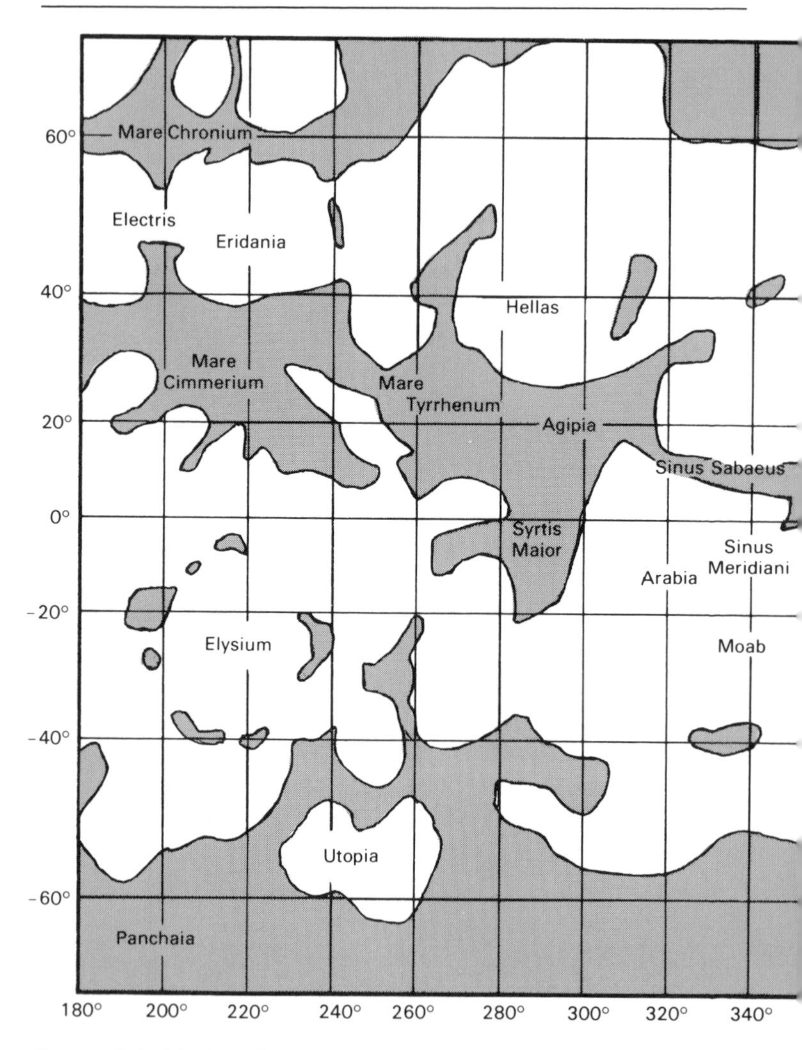

Figure 5.4: Planisphère de la planète Mars montrant les zones claires appelées déserts et les zones sombres appelées mers. Dans

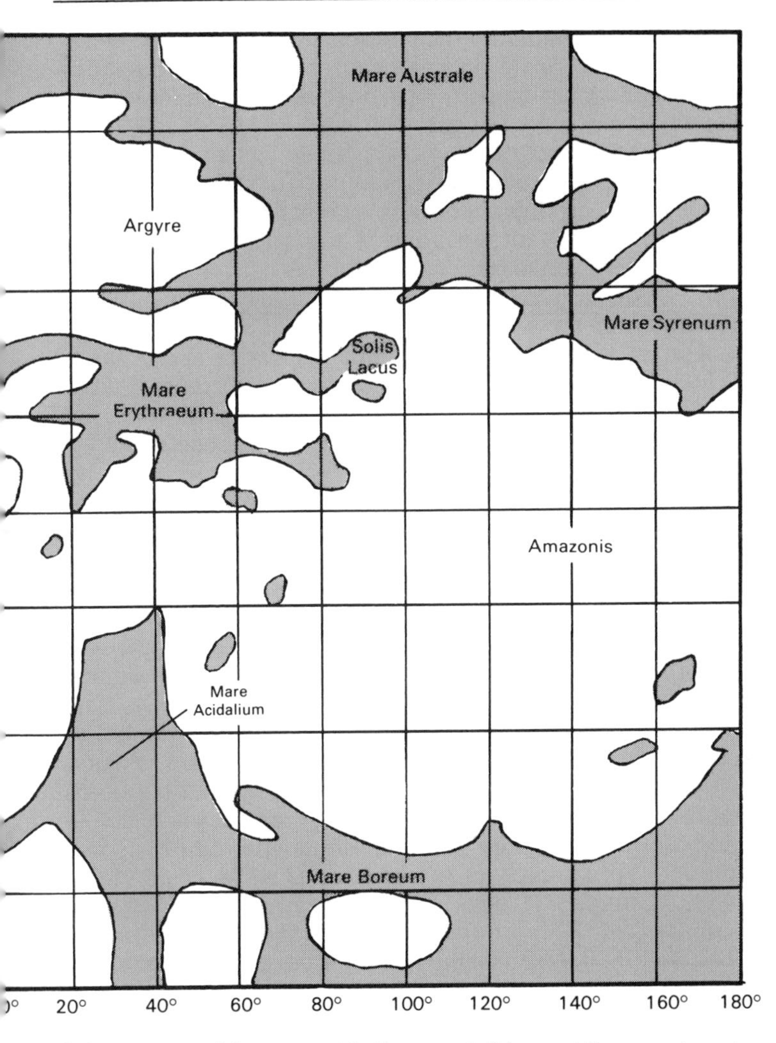

de bonnes conditions, ces détails sont visibles au télescope lors des oppositions de la planète.

que lors de sa conjonction. La période favorable à l'observation de la planète Mars est assez courte : seulement quelques mois autour de son opposition, et ne revient en moyenne qu'à tous les 26 mois.

Les oppositions de Mars ainsi que celles des autres planètes supérieures ne sont pas toutes aussi favorables. Les oppositions se produisant durant les mois de mai, juin, juillet et août sont désavantagées par le fait que ces planètes se trouvent alors dans les constellations du Scorpion, du Sagittaire ou du Capricorne. Pour un observateur situé au Québec, elles ne sont à ce moment jamais bien loin de l'horizon et la qualité de leurs images est affectée par la turbulence atmosphérique, toujours plus importante près de l'horizon que près du zénith. De plus, l'orbite de Mars est elliptique. La distance Terre-Mars lors des oppositions n'est pas toujours la même. Elle est à son minimum pour les oppositions se produisant au mois d'août. Sous nos latitudes, si on fait un compromis entre les divers facteurs qui affectent l'observation de Mars, on peut dire que les oppositions les plus favorables sont celles qui se produisent en septembre et en octobre.

Ce qui surprend le plus quand on observe Mars pour la première fois au télescope, c'est la couleur orange de son disque. Un télescope de 150 mm d'ouverture muni d'un oculaire grossissant 200 fois peut montrer un bon nombre de détails intéressants sur cette planète. On y remarque assez facilement des taches de formes diverses et plus ou moins sombres. Il s'agit des «mers» martiennes. Comme sur la Lune, ces mers ne sont pas des étendues d'eau mais des formations rocheuses plus sombres que le reste de la surface. Comme la Terre, Mars tourne sur elle-même en 24 heures et 37 minutes. Au cours d'une seule soirée d'observation, il est possible de distinguer ce mouvement et de voir les détails de la surface martienne se déplacer.

Comme la Terre, Mars possède aussi des saisons. Sur chacun des deux pôles, on remarque même une calotte composée de neige carbonique. À cause justement du dérou-

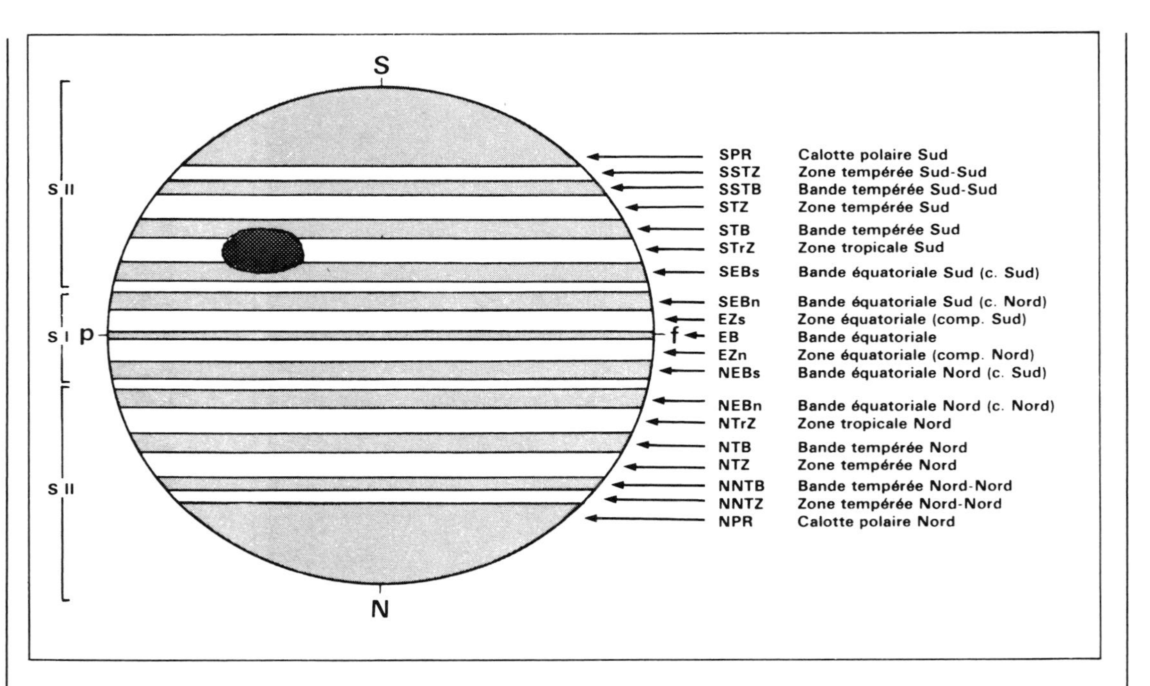

Figure 5.5: Carte des bandes et des zones de la planète Jupiter. D'une opposition à la suivante, la forme et l'intensité de chacune de ces bandes peut varier énormément.

lement des saisons martiennes, les dimensions de ces calottes blanches varient d'une opposition à la suivante. À certaines époques, une calotte peut même disparaître complètement. Il peut arriver que la planète Mars ne montre aucun détail au télescope, qu'elle soit comme une petite boule orange uniforme. Il ne faut pas alors nécessairement blâmer son instrument ou les conditions d'observation. Il s'agit plutôt de météo martienne. En effet, Mars est un immense désert et il s'y produit parfois d'énormes tempêtes de sable dont l'étendue recouvre la planète entière. Durant ces périodes, son atmosphère saturée de poussière jaune-orange devient opaque et nous cache sa surface. Les plus petits détails observables avec un télescope de 150 mm à la surface de Mars ont environ 200 km. On ne doit donc pas s'attendre à voir des petits bonshommes verts...

Jupiter

Jupiter est la planète la plus facile à observer pour un astronome amateur débutant. Le diamètre apparent de son disque est relativement grand (45"). Elle est observable au moins cinq mois par année et ses oppositions nous reviennent tous les 13 mois. Dans notre télescope de 150 mm d'ouverture, elle peut parfois se ceinturer de plus de six bandes colorées de différentes teintes. La fameuse tache rouge est aussi bien visible quand elle est tournée de notre côté. La planète Jupiter tourne sur elle-même en 9 heures et 50 minutes. Au cours d'une seule soirée d'observation, on peut donc voir défiler plus de la moitié de sa surface.

Les bandes de Jupiter, comme on l'a vu, sont en réalité des formations nuageuses. Elles changent de formes et de teintes assez rapidement. La tache rouge elle-même est à certaines époques très contrastée et à d'autres presque invisible. D'une opposition à la suivante, la surface de Jupiter est souvent méconnaissable. Jupiter est une planète vivante, toujours prête à réserver des surprises à ses observateurs.

Les quatre plus gros satellites de Jupiter ont des dimensions comparables à notre Lune. Il s'agit des satellites

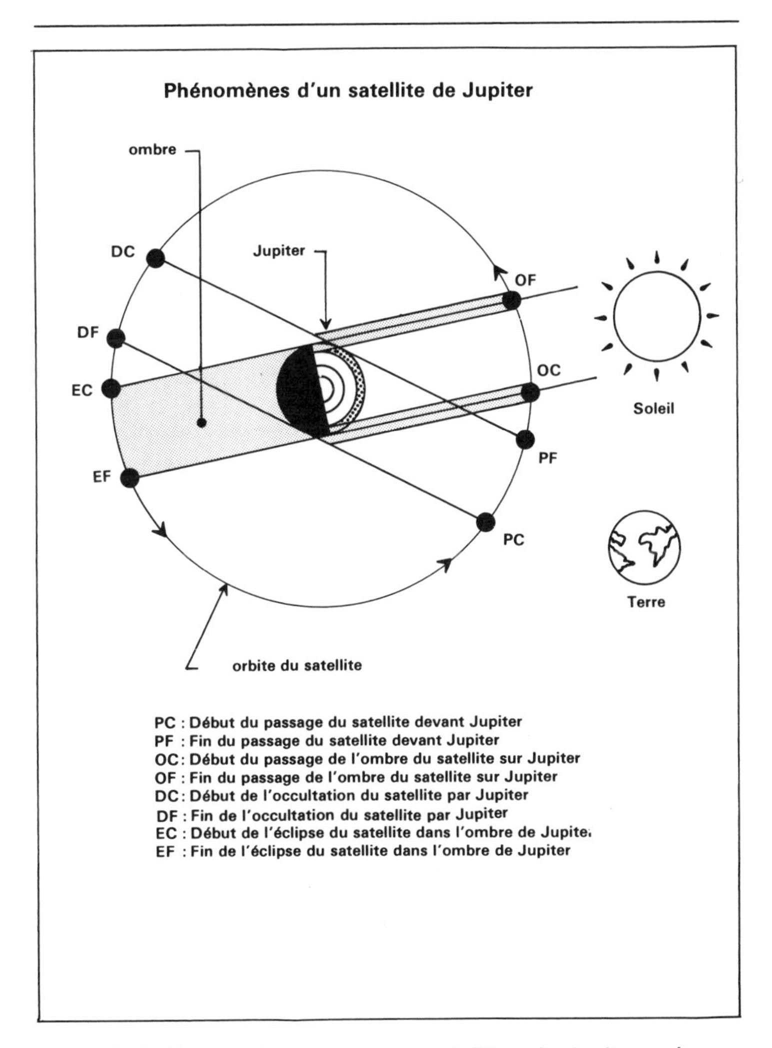

Figure 5.6: Chacun des quatre gros satellites de Jupiter présente des phénomènes intéressants et faciles à observer même avec un petit télescope.

Io, Europe, Ganymède et Callisto qui ont été visités par les sondes américaines «Voyager». Au télescope de 150 mm, ces lunes ne montrent pas de détails de surface; elles sont trop petites. Elles gravitent cependant autour du colosse Jupiter dans un ballet qui nous permet d'observer une succession de phénomènes uniques dans le système solaire. Au télescope, on peut voir chacun des satellites passer devant Jupiter et y projeter son ombre, visible comme un point noir sur la surface du géant. Un peu plus tard, le satellite passe derrière Jupiter. À ce moment, on le voit disparaître, soit occulté par le disque de la plus grosse planète du système solaire, soit éclipsé dans son ombre. Io, le plus rapide des satellites, fait le tour de Jupiter en 42 heures, tandis que Callisto, le plus lent et le plus éloigné des quatre, accomplit une révolution en 16 jours et 17 heures. Dans une seule nuit d'observation, il est quelquefois possible d'assister à plus d'une demi-douzaine de ces phénomènes de passage, de disparition et d'apparition de satellites.

Saturne

Avec ses anneaux, Saturne est un des objets les plus esthétiques de l'Univers. Les conditions d'observation de cette planète sont semblables à celles de Jupiter. Les oppositions de Saturne nous reviennent en moyenne au bout d'un an et deux semaines. Au télescope, le globe de Saturne paraît deux fois plus petit que celui de Jupiter. Il ne montre pas de détails comme les ceintures colorées et la tache rouge de la planète géante. C'est tout juste si on y distingue des bandes plus ou moins claires.

Saturne possède plusieurs anneaux dont deux sont visibles dans un télescope de 150 mm d'ouverture. On distingue aussi la division de Cassini qui les sépare. Au cours des années, les anneaux se présentent sous différents angles. À certaines époques, comme en 1972 et en 1987, on les observe par-dessus ou par-dessous avec un angle maximum (voir figure 5.3). C'est le meilleur temps pour bien les voir. Il y a des années, comme en 1980 et en 1995, où on

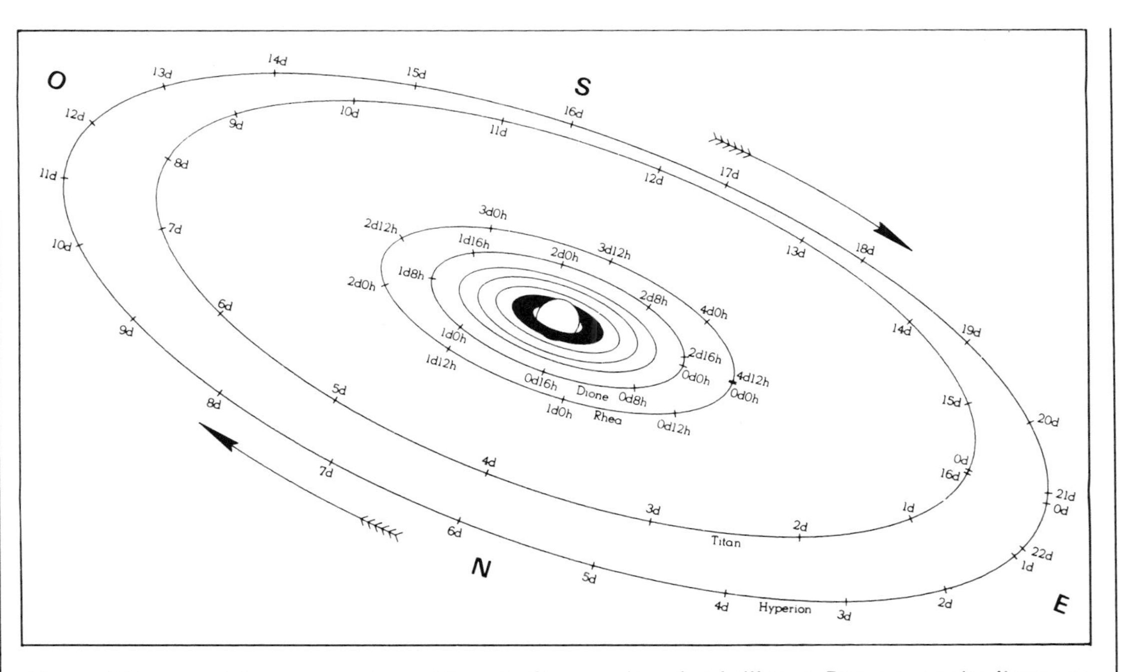

Figure 5.7: Les orbites des sept satellites de Saturne les plus brillants. Dans un petit télescope, seuls Titan et Rhéa sont facilement observables. Ces orbites sont à peu près dans le même plan que les anneaux. (source : The American Ephemeris and Nautical Almanac, Washington).

Jean Vallières

Située à 14 millions d'années-lumière de nous, la galaxie de la constellation des Chiens de Chasse, M 51, nous montre très clairement ses spires de face ainsi que sa galaxie satellite. Exposition de 15 minutes sur film 103a-F au foyer primaire d'un télescope de 310 mm d'ouverture et de 1 930 mm de focale.

les observe par la tranche. Ils sont si minces qu'à ce périodes il leur arrive de disparaître complètement.

Saturne est escorté d'une dizaine de satellites. Parmi eux, six sont visibles dans notre télescope d'amateur. Ils sont tous moins brillants que les quatre gros satellites de Jupiter et ne montrent pas comme eux de phénomènes de passages et de disparitions. Les deux plus gros sont Titan et Rhéa.

Uranus, Neptune et Pluton

Le disque d'Uranus paraît douze fois plus petit que celui de Jupiter au télescope. Il est remarquable par sa teinte verte. Il ne montre aucun détail de surface. Neptune ressemble à une étoile faible et Pluton demeure invisible. Il faudrait un télescope d'au moins 400 mm d'ouverture pour voir la dernière planète du système solaire.

L'UNIVERS SIDÉRAL

Les étoiles

Au télescope, une étoile demeure un point puisque même les plus proches ont un diamètre apparent toujours plus petit que le pouvoir séparateur des plus gros instruments. Les étoiles sont cependant beaucoup plus brillantes qu'à l'œil nu. Dans un champ de la Voie Lactée, où l'œil ne distingue que deux ou trois étoiles, le télescope en montre des centaines. On a vraiment l'impression d'observer une poussière d'astres.

De nombreuses étoiles qui nous paraissent simples à l'œil nu se dédoublent dans un télescope. Il s'agit souvent de vrais couples d'étoiles retenues ensemble par la force de gravitation, la plus petite tournant autour de la plus grosse. Il y en a aussi dont les couleurs différentes sont très contrastantes; ainsi Albiréo, dans le Cygne, est composée d'une étoile jaune et d'une bleue. On rencontre même des étoiles triples et des quadruples, comme l'étoile Epsilon de la constellation de la Lyre.

Les amas d'étoiles

Les étoiles se regroupent aussi en amas. On connaît d'abord les amas ouverts comme les Pléiades, dans la constellation du Taureau. À l'œil nu, on ne voit que les sept étoiles les plus brillantes ; le télescope nous en montre plus d'une centaine. Il y en a beaucoup d'autres. Dans la constellation de Persée, on rencontre par exemple un bel amas double qu'on peut observer de la fin de l'été au début de l'hiver.

Les amas globulaires, d'autre part, sont des objets différents. Ils peuvent contenir plus de 50 000 étoiles, mais ils sont tellement éloignés que notre télescope de 150 mm d'ouverture nous montre les plus beaux comme un essaim de quelques dizaines d'étoiles fines baignées dans une lueur diffuse et ronde provenant des milliers d'étoiles trop faibles pour être détectées individuellement. Le plus bel exemple de ce type d'objet est l'amas globulaire de la constellation d'Hercule.

Les nébuleuses et les galaxies

Pour observer les amas stellaires, les nébuleuses et les galaxies avec profit, il faut une nuit sans Lune et un site éloigné des lumières de la ville. Ces objets sont peu lumineux même au télescope. On doit presque toujours utiliser de faibles grossissements si on veut obtenir plus de contraste. Il y a quand même certaines nébuleuses présentant des détails intéressants. La grande nébuleuse d'Orion, le plus bel exemple de nébuleuse diffuse, montre bien sa forme filamenteuse. Une nébuleuse diffuse est une énorme masse de gaz, surtout de l'hydrogène, rendue visible soit parce qu'elle réfléchit la lumière des étoiles proches, soit parce qu'elle devient luminescente à cause du rayonnement X ou ultraviolet provenant de ces étoiles. Plusieurs nébuleuses diffuses sont des pépinières d'étoiles. Sous l'effet de la gravitation, la concentration des masses de gaz donne naissance à de nouvelles étoiles.

On peut aussi observer un autre type de nébuleuse : les nébuleuses planétaires, dont le spécimen le plus connu est la nébuleuse annulaire de la Lyre. Dans notre instrument d'amateur, cet objet ressemble à un petit anneau de fumée ou à un petit beignet. Un télescope d'au moins 400 mm d'ouverture est nécessaire pour nous montrer l'étoile centrale qui lui a donné naissance. En effet, une nébuleuse planétaire n'a que sa forme ronde en commun avec une planète. Elle est plutôt une bulle de gaz en expansion provenant de l'éjection de matière de l'étoile centrale lors de l'effondrement de cette dernière. En l'an 1054 de notre ère, les Chinois ont observé une super-nova dans la constellation du Taureau. Aujourd'hui, on observe les résidus de ce phénomène sous la forme de la fameuse nébuleuse du Crabe.

Les objets les plus éloignés qu'on peut observer sont les galaxies. Tous les astres qu'on a décrit jusqu'ici font partie de notre propre galaxie : la Voie Lactée. Les galaxies extérieures se reconnaissent par la forme de spirale de la plupart d'entre elles. Cependant, pour bien voir ces spires, il faut photographier les galaxies. Au télescope, on n'entrevoit les spires que des plus brillantes galaxies comme par exemple la grande galaxie d'Andromède qui nous montre en plus ses deux mini-galaxies satellites. Les autres galaxies sont visibles sous forme de taches diffuses plus ou moins rondes ou plus ou moins allongées, selon qu'elles sont vues de face ou par la tranche.

À l'aide d'un bon atlas du ciel, un télescope de 150 mm d'ouverture permet de trouver des centaines d'amas, de nébuleuses et de galaxies, même si les plus faibles de ces objets ressemblent à de très pâles taches diffuses. Pour débuter, il est préférable de pointer d'abord au télescope tous les objets faciles visibles à l'œil nu et aux jumelles décrits au début de ce volume.

Bonne chance!

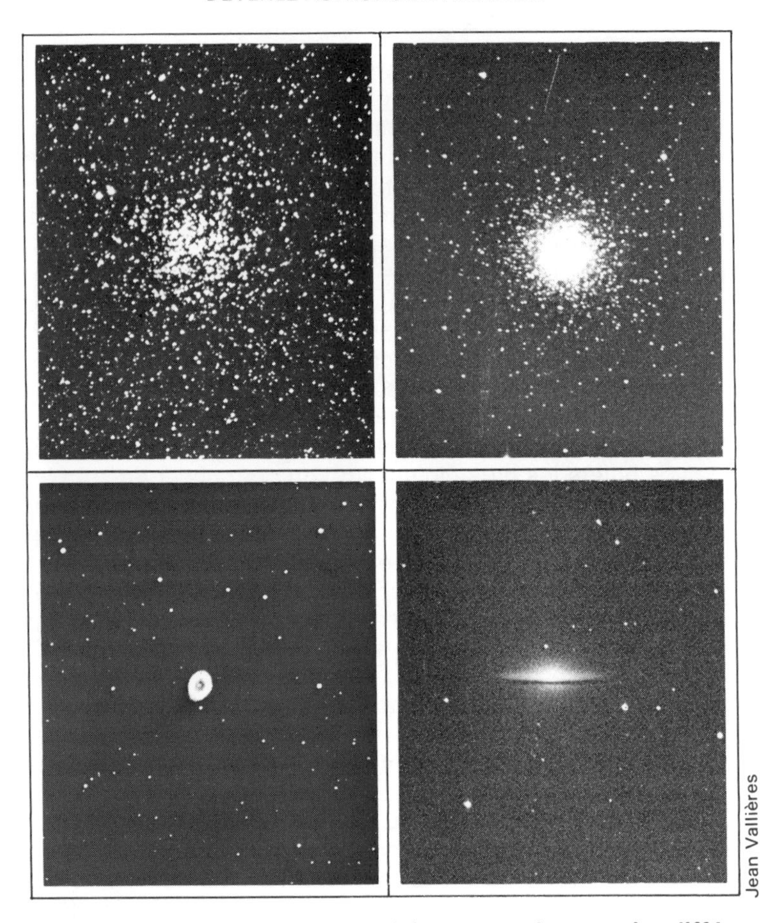

Jean Vallières

Quelques-uns des plus beaux spécimens représentant les différents types d'objets qu'on peut observer au télescope. EN HAUT À GAUCHE : l'amas ouvert M 11 dans le Bouclier; À DROITE : l'amas globulaire M 3 dans les Chiens de Chasse. EN BAS À GAUCHE : une nébuleuse planétaire, la nébuleuse annulaire de la Lyre, M 57; À DROITE : la galaxie M 104, dite «Sombréro», dans la Vierge. Photos prises au foyer primaire d'un télescope de 310 mm d'ouverture.

SÉLECTION DE COINS DE CIEL

On peut observer des objets intéressants en toutes saisons et dans à peu près toutes les régions du firmament. Il existe cependant certains coins de ciel plus riches que d'autres pour les prospecteurs d'astres. Très souvent, ces régions sont situées le long de la Voie Lactée, qui est l'apparence que prend notre galaxie vue de la Terre par la tranche. La Voie Lactée est non seulement une concentration d'étoiles trop faibles pour être détectées individuellement à l'œil nu, mais elle contient aussi tous les amas d'étoiles et nébuleuses décrits dans les pages précédentes. Il est donc normal que ces objets soient en plus grand nombre dans les régions situées près d'elle.

Les cartes des pages suivantes contiennent une sélection des plus beaux objets visibles au télescope : amas stellaires, nébuleuses, étoiles doubles et étoiles variables. Sur chacune des cartes, les nébuleuses et les amas sont notés soit par leur numéro du catalogue Messier, comme par exemple la grande nébuleuse d'Andromède (M 31), soit par leur numéro du catalogue NGC (New General Catalog), comme la nébuleuse de la Rosette dans la Licorne (NGC 2 244). Le catalogue de Messier atteint le nombre de 109. Charles Messier (1730-1817), astronome français du temps de Louis XV, dressa son fameux catalogue à partir des objets qu'il trouvait en faisant la chasse aux comètes et des objets déjà connus avant lui.

Les cartes contiennent aussi toutes les étoiles plus brillantes que la magnitude 5,3. Les plus faibles étoiles visibles à l'œil nu dans les meilleures conditions sont de magnitude 6,3, soit environ 2,5 fois moins brillantes que les plus petites des cartes. Notre télescope d'amateur de 150 mm d'ouverture permet de voir les étoiles jusqu'à la magnitude 12,7. Il permet aussi en théorie de distinguer les composantes d'une étoile double à la condition que ces dernières soient séparées d'au moins 0,7 secondes d'arc (0,7"). De plus, si une des composantes est beaucoup plus faible que

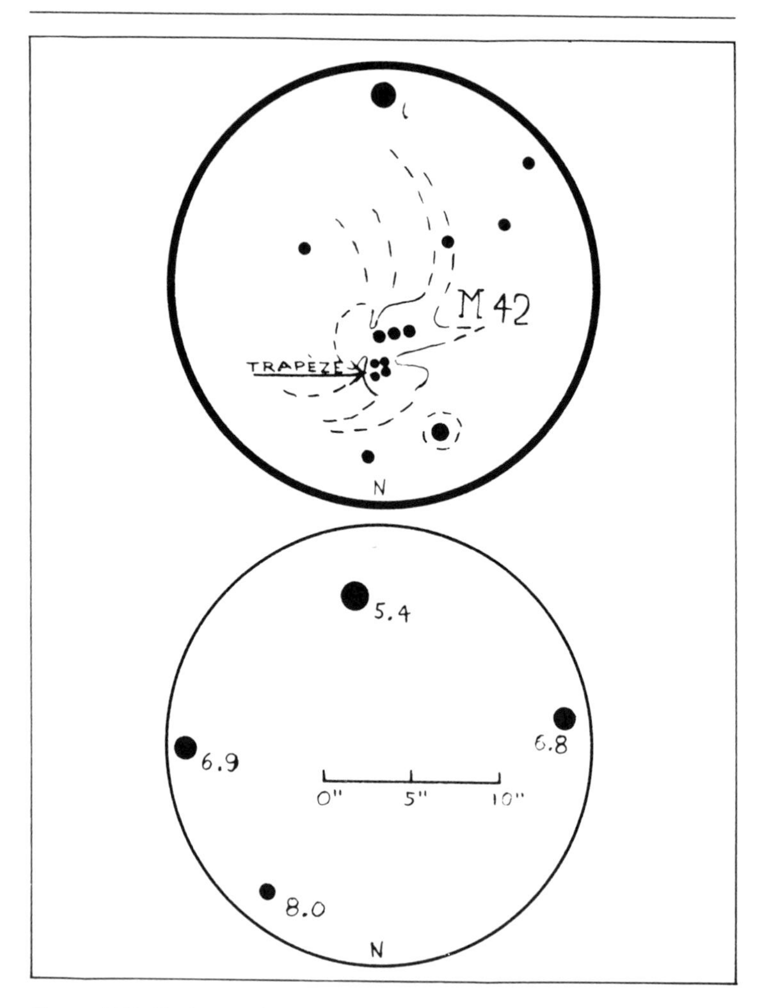

Figure 5.8: **En haut**: dessin de la grande nébuleuse d'Orion fait par l'auteur d'après une observation avec un télescope de 150 mm. **En bas**: les quatre composantes de l'étoile quadruple «le Trapèze» située à l'intérieur de la nébuleuse.

l'autre, comme par exemple Sirius et son compagnon, la séparation minimale permise doit être plus grande.

Pour chacune des régions sélectionnées, on donne une liste des meilleurs objets visibles au télescope. Les plus beaux d'entre eux sont recommandés si on veut épater ses amis avec son télescope. Les caractéristiques de tous les objets sont donnés pour un télescope de 150 mm d'ouverture.

Région d'Orion et du Grand Chien

Cette région (figure 5.9) est visible du mois d'octobre jusqu'au mois de mars. Orion, la plus belle constellation de l'hiver, est aussi une des plus riches à étudier. À l'œil nu, elle est remarquable par l'éclat bleu de la plupart de ses étoiles. Toutes ces étoiles font partie d'un même groupe ou amas comme par exemple les *Hyades* ou les *Pléiades*. Rigel (β Orion) est la plus brillante de ces étoiles bleues. Bételgeuse (α Orion) contraste avec sa couleur rouge-orange. Elle n'est pas membre de ce groupe; elle est plutôt située beaucoup plus près de nous. Cette région contient aussi la plus brillante étoile du ciel, Sirius (α du Grand Chien), qui est de magnitude −1,5.

Amas et nébuleuses

M 41 : Très bel amas ouvert contenant environ 60 étoiles et remplissant la moitié du champ de vision avec un grossissement de 50×. Cet amas est situé à seulement quatre degrés au sud de l'étoile Sirius.

M 42 : *Grande nébuleuse d'Orion.* Étant la plus brillante de toutes les nébuleuses, elle est visible à l'œil nu sous les trois étoiles alignées de la ceinture d'Orion. Elle remplit au moins la moitié du champ de vision avec un grossissement de 60×. Elle contient une très belle étoile quadruple nommée *le Trapèze* (figure 5.8).

NGC 2 024 : Pâle nébuleuse diffuse à observer avec le grossissement minimum et située autour de l'étoile ζ Orion. Une nébuleuse obscure, la *Tête de Cheval*, située plus près de nous, s'y découpe en silhouette devant la nébuleuse lumi-

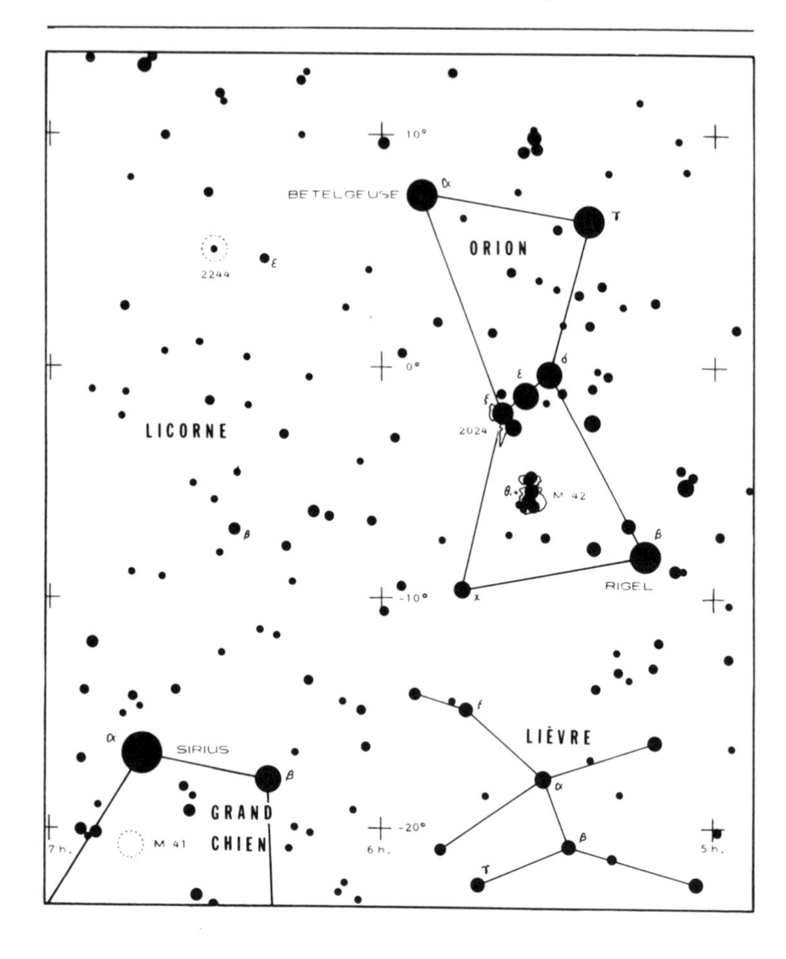

Figure 5.9: La région d'Orion et du Grand Chien observable durant tout l'hiver. L'objet le plus remarquable de cette région est la grande nébuleuse d'Orion, visible même à l'œil nu.

neuse. Cette dernière reste cependant invisible au télescope, à moins d'utiliser la photographie.

NGC 2 244: *La Rosette.* Amas ouvert baigné dans une nébuleuse diffuse. Au télescope, on ne voit que les étoiles de l'amas. Il faut encore ici utiliser la photographie pour faire ressortir la belle nébuleuse.

Étoiles doubles

γ (Gamma) du Lièvre: Étoile double facile à séparer puisque les composantes de magnitudes 3,6 et 6,3 sont distantes de 96".

δ (Delta) Orion: Composantes très inégales de magnitudes 2,5 et 7,0 séparées de 53".

β (Bêta) Orion: Rigel. Le compagnon de magnitude 6,8 est beaucoup plus faible que la principale de magnitude 0,3. La séparation est de 10".

ζ (Dzêta) Orion: Couple très serré comprenant deux étoiles de magnitudes 2,1 et 4,2 séparées de seulement 2,4".

θ (Thêta un) Orion: *Le Trapèze.* Quatre étoiles de magnitudes 5,4 à 8,0 formant entre elles un minuscule trapèze d'environ 25" de diagonale. Situé à l'intérieur de la partie la plus brillante de la grande nébuleuse d'Orion. Voir la figure 5.8.

α (Alpha) du Grand Chien: Sirius. Couple extrêmement inégal dont les composantes sont de magnitudes -1,5 et 8,7 et séparées de 11". Le compagnon de Sirius est une étoile naine blanche 12 000 fois moins brillante que Sirius A. Il est donc très difficile à voir.

β (Bêta) de la Licorne: Belle étoile triple dont les composantes A, B et C sont respectivement de magnitudes 4,7, 5,2 et 5,6. A et B sont séparées de 7,2" tandis que le couple BC est plus serré: 2,9".

ϵ (Epsilon) de la Licorne: Composantes de magnitudes 4,5 et 6,7 séparées de 13".

Région du Cocher et des Gémeaux

Cette région (figure 5.10) est visible du mois d'août jusqu'au

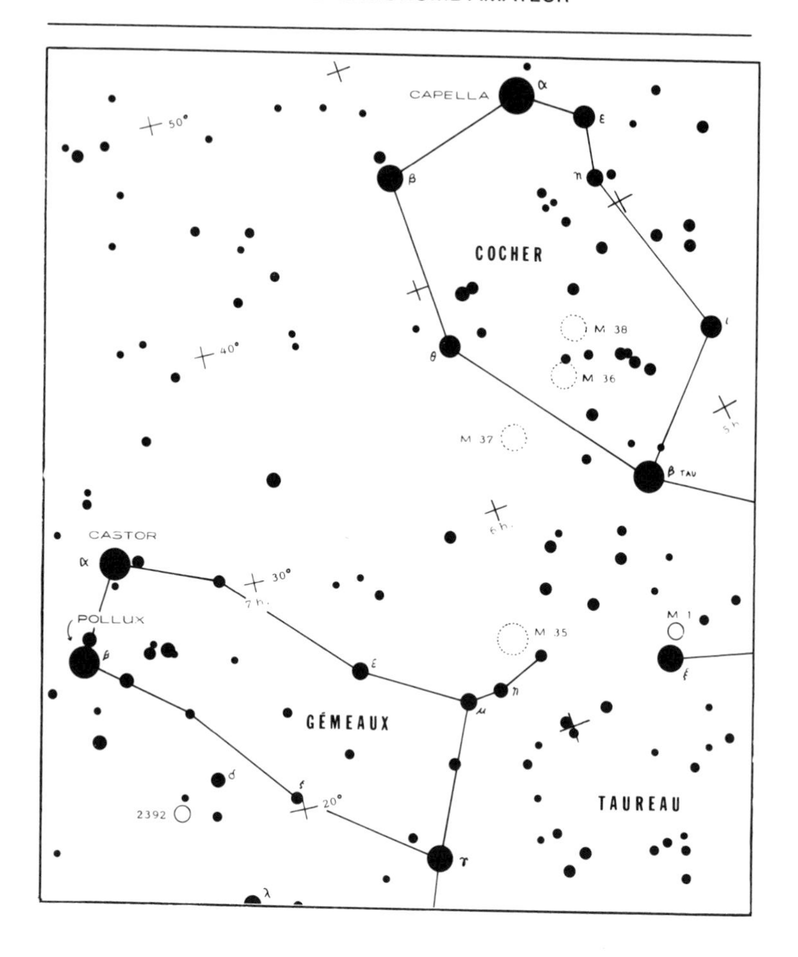

Figure 5.10: La région du Cocher et des Gémeaux observable en automne, en hiver et au printemps. On y rencontre quelques beaux amas stellaires comme M 35 et M 37.

mois d'avril. Elle est remarquable par ses deux étoiles jumelles Castor et Pollux et par l'étoile Capella, la plus brillante des étoiles du ciel du Québec après Sirius, Arcturus et Véga.

Amas et nébuleuses

M 1 : *La nébuleuse du Crabe,* célèbre nébuleuse planétaire et radio-source, nuée en expansion restant de la super-nova de 1054 observée par les Chinois de ce temps et devenue aujourd'hui un pulsar. La nébuleuse est visible au télescope comme une tache diffuse informe.

M 35: Magnifique amas ouvert composé d'environ 120 étoiles. On recommande un faible grossissement pour le voir au complet dans le champ de vision de l'oculaire.

M 37: Amas ouvert subtil composé d'environ 150 étoiles toutes tassées. On recommande un grossissement de 80×.

NGC 2 392: Petite nébuleuse planétaire assez brillante de la taille apparente de Jupiter. Avec un grossissement de 150×, elle est visible comme une tache ovale de couleur bleue.

Dans le Cocher, il y a aussi deux autres amas ouverts, M 36 et M 38, moins riches et moins concentrés que M 37.

Étoile double

α (Alpha) des Gémeaux: Castor. Étoile double difficile puisque les composantes de magnitudes 2 et 3 sont brillantes et séparées de seulement 2,2".

Région du Cancer

Cette région (figure 5.11) est visible de novembre à mai. Situé entre les Gémeaux et le Lion, le Cancer reste une constellation peu remarquée puisqu'elle ne contient pas d'étoiles brillantes. Elle contient cependant deux des plus beaux amas ouverts.

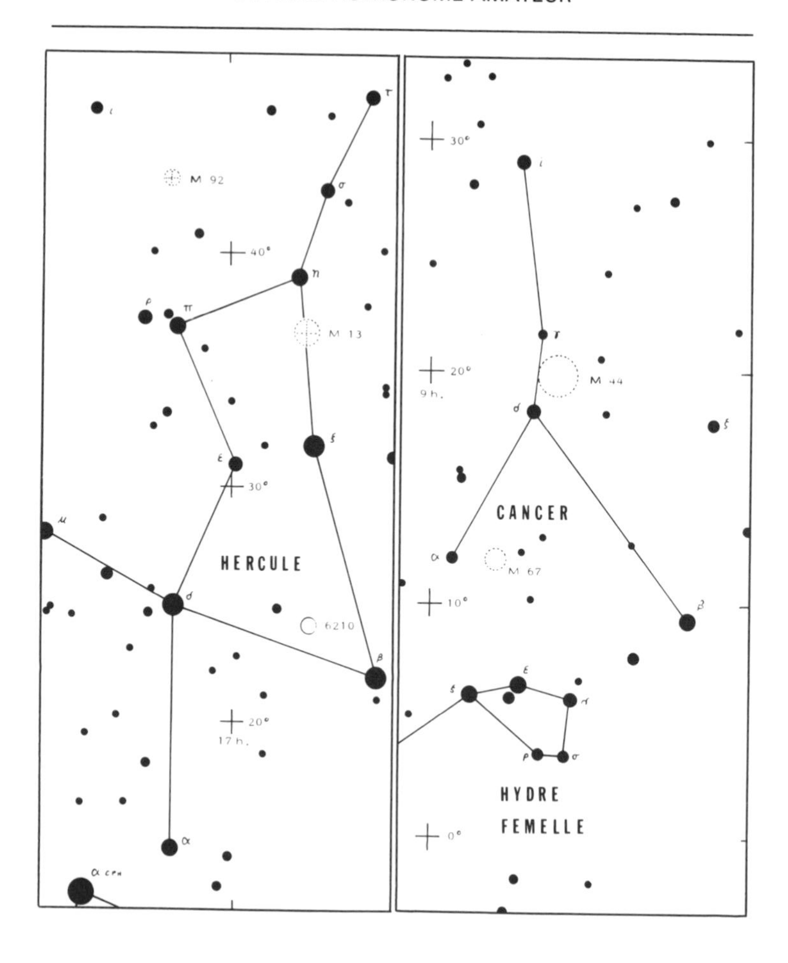

Figure 5.11 : **À gauche** : la constellation d'Hercule célèbre par son amas globulaire M 13. **À droite** : la constellation du Cancer contenant un des plus beaux amas ouverts, celui de la «Ruche».

Jean Vallières

Le plus connu de tous les amas globulaires, celui de la constellation d'Hercule, M 13. Il s'agit d'un objet contenant quelques dizaines de milliers d'étoiles et situé à 21 000 années-lumière de nous. Cet amas globulaire fait partie de notre galaxie, la Voie Lactée, mais, comme la plupart des autres amas globulaires, il n'est pas situé dans le plan des bras de cette dernière. Photo prise au télescope de 310 mm d'ouverture.

Amas et nébuleuses

M 44 : Amas ouvert de *la Ruche.* Visible à l'œil nu comme une tache de la grosseur de la Lune. Avec un grossissement de 40×, il remplit complètement le champ de vision. Des étoiles relativement brillantes (sixième magnitude) s'y détachent parmi une multitude d'astres plus faibles.

M 67 : Amas ouvert très serré contenant une centaine d'étoiles faibles ramassées à l'intérieur d'un diamètre restreint couvrant la moitié du champ avec un grossissement de 100×. Il s'agit d'un des plus vieux amas ouverts connus.

Étoiles doubles

ι (Iota) Cancer : Double colorée dont la plus brillante étoile de magnitude 4,2 et de couleur jaune est distante de 30" d'une étoile de magnitude 6,8 et de couleur bleue.

ζ (Dzêta) Cancer : Composantes de magnitudes 5,7 et 6,1 séparées de 6".

Région d'Hercule

Cette constellation (figure 5.11) est visible de mars à octobre. Elle contient le plus connu des amas globulaires.

Amas et nébuleuses

M 13 : *Amas globulaire d'Hercule.* De magnitude visuelle 5,7, c'est le plus brillant des amas globulaires visibles du Québec. Il apparaît à l'œil nu comme une petite étoile un peu floue. Au télescope, avec un grossissement de 120×, il remplit environ le quart du diamètre du champ. On y distingue plusieurs dizaines de fines étoiles baignées dans la lueur diffuse et ronde de ses milliers d'étoiles non résolues.

M 92 : Amas globulaire un peu plus petit et plus concentré que le précédent, mais à peine moins beau. On y distingue une vingtaine de fines étoiles.

NGC 6 210 : Nébuleuse planétaire de forme ovale et de couleur bleue. Elle est très petite, environ la moitié de la taille apparente de Jupiter. On recommande un grossissement d'environ 150×.

Étoiles doubles

α (Alpha) Hercule: Magnifique contraste de couleurs. Composante principale orange variable entre les magnitudes 3 et 4. Le compagnon de magnitude 5,7 est vert et distant de 5″ de la principale.

ρ (Rhô) Hercule: Deux composantes blanches de magnitudes 4,5 et 5,5 séparées de 4″.

Région du Sagittaire

Cette région (figure 5.12) n'est jamais bien éloignée de l'horizon sud sous nos latitudes et est visible de mai jusqu'à la fin d'août. Au premier coup d'œil, on remarque que la carte contient plus d'objets que les autres: neuf amas ouverts, sept amas globulaires et trois nébuleuses diffuses. Le centre de la Voie Lactée, avec sa grande concentration d'étoiles, d'amas et de nébuleuses, se trouve justement dans cette direction. On donne ici une description des plus impressionnants de ces objets.

Amas et nébuleuses

M 6: Amas ouvert contenant environ 60 étoiles assez brillantes remplissant la moitié du champ de vision avec un grossissement de 50×.

M 7: Amas ouvert aussi beau mais plus dispersé que le précédent. Le même nombre d'étoiles remplit complètement le champ avec un grossissement de 40×.

M 8: Nébuleuse diffuse du *Lagon*. Très bel objet au télescope et dans une paire de jumelles. On remarque un amas ouvert d'une vingtaine d'étoiles dans une des deux parties de cette nébuleuse. À observer avec un faible grossissement.

M 11: Magnifique amas ouvert contenant une centaine de très fines étoiles dans un espace très concentré, au point de ressembler un peu à un amas globulaire avec un plus petit télescope.

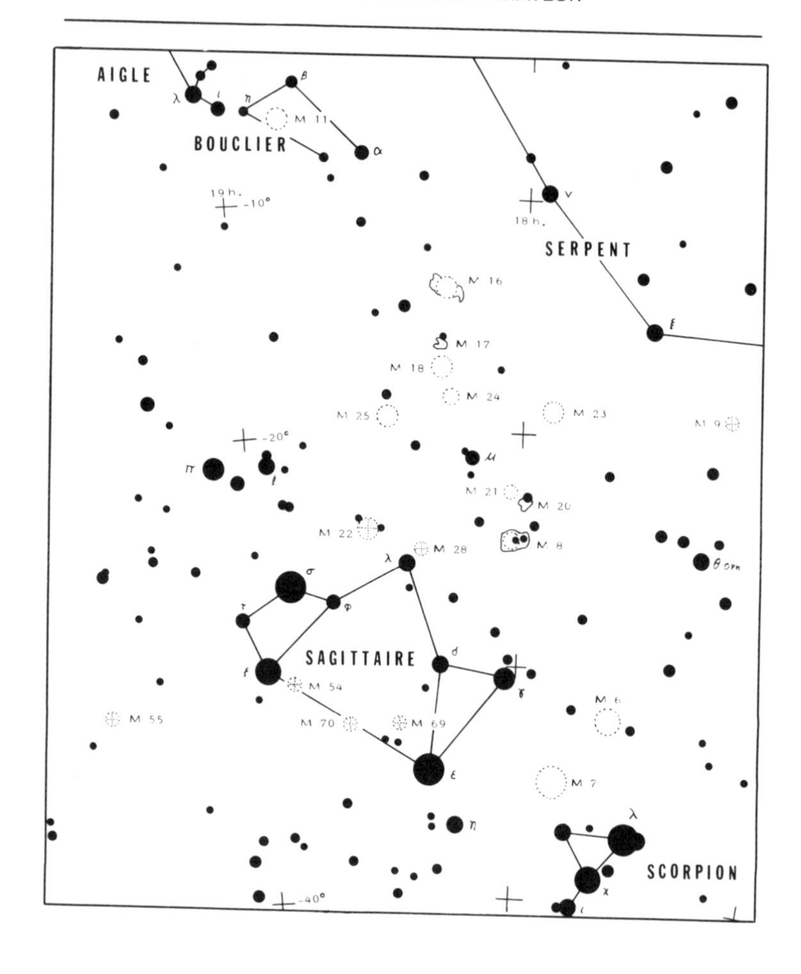

Figure 5.12: La région du Sagittaire est visible en été. Elle est située dans la direction du centre de la Voie Lactée et contient un très grand nombre d'objets intéressants parmi lesquels on retrouve la nébuleuse du Lagon, M 8.

M 16: Amas ouvert et nébuleuse diffuse. Une vingtaine d'étoiles sur un fond de nébulosité.

M 17: Nébuleuse diffuse du *Fer à Cheval.* Elle est assez brillante au télescope mais on semble n'y voir que la moitié d'un fer à cheval!

M 20: Nébuleuse diffuse dite *Trifide.* Objet très peu contrasté et difficile à voir, mais situé dans un très beau champ d'étoiles.

M 22: Amas globulaire aussi beau que celui d'Hercule. Il est plus large, aussi lumineux et plus facile à résoudre en étoiles que ce dernier. Il est simplement moins connu, probablement parce que son altitude ne dépasse jamais 20 degrés au-dessus de l'horizon sous nos latitudes. On suggère un grossissement de 100×.

M 23: Amas ouvert remplissant la moitié du champ de vision avec un grossissement de 50× et contenant une centaine d'étoiles.

M 25: Amas ouvert assez dispersé et contenant une trentaine d'étoiles.

M 28: Petit amas globulaire très condensé et assez brillant.

M 55: Amas globulaire de taille moyenne et facile à résoudre en étoiles.

Il existe aussi d'autres objets moins spectaculaires que les précédents. On retouve par exemple les amas ouverts M 18, M 21 et M 24, ainsi que les amas globulaires M 9, M 54, M 69 et M 70.

Cette région ne contient pas d'étoiles doubles dignes de mention.

Région du Cygne et de la Lyre

C'est une des régions les plus connues du ciel puisqu'elle trône au zénith durant tout l'été et au début de l'automne, alors que les conditions d'observation sont des plus confortables. Elle abonde aussi en objets intéressants puisque le Cygne est situé dans une des régions les plus riches et les plus brillantes de la Voie Lactée (figure 5.13).

Amas et nébuleuses

M 27: Très belle nébuleuse planétaire nommée *Dumb-bell*. Elle apparaît brillante et en forme de «8» dans notre instrument de 150 mm d'ouverture avec un grossissement de 100×.

M 39: Amas ouvert remplissant la moitié du champ d'une trentaine d'étoiles relativement brillantes avec un grossissement de 50×.

M 56: Amas globulaire faible et apparaissant seulement comme une petite tache floue.

M 57: La fameuse *Nébuleuse annulaire de la Lyre*. Avec un grossissement de 100×, on la voit comme un petit anneau de fumée ou comme un beignet légèrement ovale. C'est une nébuleuse planétaire mais il faudrait un télescope d'au moins 1 000 mm d'ouverture pour percevoir visuellement son étoile centrale.

M 71 : Amas globulaire petit et ne montrant que quelques fines étoiles résolues sur un fond laiteux et rond.

NGC 7 000: Nébuleuse diffuse nommée *América* à cause de sa forme rappelant l'Amérique du Nord. Cette nébuleuse est très étendue et peu contrastée. On peut voir sa forme particulière à la condition de l'observer par une nuit sans Lune soit avec une paire de jumelles, soit avec un télescope muni d'un oculaire à grand champ et à très faible grossissement. Objet assez facile à photographier.

NGC 6 960: Nébuleuse diffuse dite de la *Dentelle*. Objet tout juste perceptible autour de l'étoile 52 du Cygne dans les mêmes conditions d'observation que la nébuleuse *América*.

Toujours en utilisant une paire de jumelles ou un télescope à grand champ par une nuit sans Lune, il ne faut pas manquer de balayer la ligne reliant les étoiles Déneb, γ et η du Cygne. La Voie Lactée nous apparaît alors vraiment comme de la poussière d'étoiles où on rencontre le petit amas M 29. Le spectacle en vaut la chandelle.

Jean Vallières

La région du Cygne et de la Lyre traversée par une des parties les plus brillantes de la Voie Lactée. Cette région est très connue puisqu'elle trône au zénith du ciel d'été. Exposition de 15 minutes sur film 103a-F avec un objectif grand angle de 24 mm de focale ouvert à f: 2,8. Photographie guidée sur une table équatoriale (voir chapitre 6).

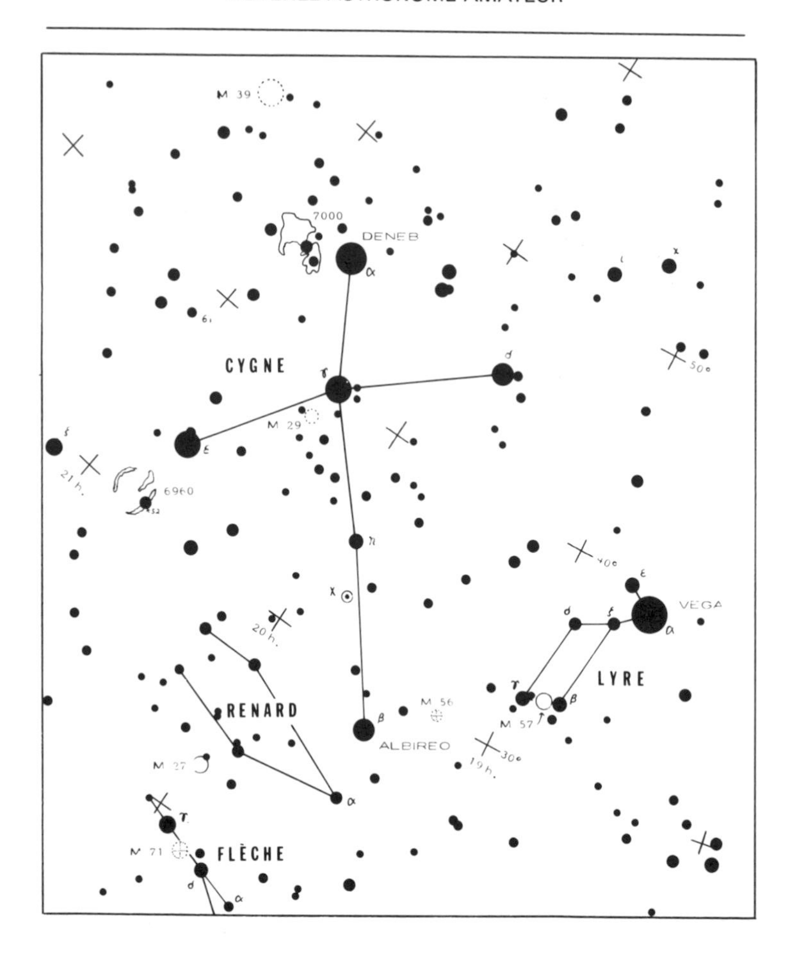

Figure 5.13: La région du Cygne et de la Lyre est visible en été. On y rencontre quelques objets connus comme les nébuleuses M 57 (annulaire de la Lyre) et M 27 (Dumb-bell), ainsi que l'étoile double Albiréo.

Jean Vallières

La nébuleuse Dumb-bell, M 27, est une nébuleuse planétaire située dans la constellation du Petit Renard (voir la carte de la région du Cygne et de la Lyre au chapitre 5). Il s'agit d'une masse de gaz en expansion autour d'une étoile qui a jadis explosé en devenant une nova. Exposition de 15 minutes sur film 103a-F au foyer primaire d'un télescope de 310 mm d'ouverture et de 1 930 mm de focale.

Étoiles doubles

β (Bêta) du Cygne: *Albiréo.* C'est probablement l'étoile double la plus connue. C'est aussi une des plus belles à cause des couleurs différentes de ses composantes. On y voit une petite étoile bleue de magnitude 5,3 distante de 34" d'une étoile jaune de magnitude 3,2.

ε (Epsilon) de la Lyre: C'est une belle étoile quadruple composée de deux couples très serrés. Le couple AB contient deux étoiles de magnitudes 5,1 et 6 séparées de 2,8". Les étoiles du couple CD sont de magnitudes 5,1 et 5,4 et sont séparées de 2,3". Les deux couples sont distants de 208" l'un de l'autre. On recommande un grossissement d'au moins 150× pour bien voir les quatre étoiles. Cette étoile quadruple est utilisée dans les concours pour vérifier la qualité optique des instruments.

ζ (Dzêta) de la Lyre: Coupe facile à séparer puisque les composantes de magnitudes 4,3 et 5,7 sont distantes de 44".

61 du Cygne: Les composantes de magnitudes 5,5 et 6,3 sont séparées de 28". Cette étoile est reconnue pour son très grand mouvement propre apparent dans le ciel. Depuis le début de notre ère, elle s'est déplacée d'une distance équivalente à celle qui sépare Véga et δ de la Lyre. La cause de ce phénomène est sa proximité relative: seulement 11 années-lumière.

Étoiles variables

β (Bêta) de la Lyre: variable à éclipses. La magnitude varie de 3,4 à 4,3 avec une période de 12,91 jours.

χ (Khi) du Cygne: variable à longue période du type Myra. La magnitude varie entre 3,3 et 14,3 avec une période de 406,7 jours. À certaines époques, elle est aussi brillante qu'Albiréo; à d'autres, elle est invisible même dans notre télescope. Sachant qu'il se produit un maximum le 31 décembre 1980, on peut facilement calculer les dates des autres maxima.

Région de Persée et d'Andromède

Cette région (figure 5.14) est visible du mois de juillet jusqu'au mois de janvier. Elle domine donc le ciel d'automne et contient quelques objets très connus : la grande galaxie d'Andromède, l'amas double de Persée et l'étoile variable Algol.

Amas et nébuleuses

M 31 : *La grande galaxie d'Andromède.* Sa surface totale est deux fois celle de la pleine Lune. On doit donc utiliser le grossissement minimum pour la voir en entier. Au télescope, le centre très brillant est entouré de bras beaucoup moins contrastés. De part et d'autre de sa forme allongée, on observe ses deux galaxies satellites, M 32 et NGC 205, toutes deux ressemblant à de petites taches diffuses légèrement ovales.

M 33 : *La galaxie du Triangle* est moins brillante et moins contrastée que la précédente tout en étant presque aussi grande. On doit donc l'observer avec un faible grossissement.

M 34 : Bel amas ouvert regroupant une centaine d'étoiles réparties sur une surface remplissant la moitié du champ de vision avec un grossissement de 50×.

M 76 : Nébuleuse planétaire faible et petite. Elle est remarquable par sa forme ovale.

NGC 869 et 884 : Le fameux *amas double de Persée.* Chaque amas contient une centaine d'étoiles. Avec un faible grossissement, 30× ou 40×, il est possible de les voir tous les deux dans le même champ. Cet objet est visible à l'œil nu comme une tache diffuse à mi-chemin entre les étoiles δ Cassiopée et γ Persée. Il est aussi très beau dans une paire de jumelles.

Enfin, il ne faut pas oublier la région de α Persée très impressionnante avec une paire de jumelles ou un télescope muni d'un oculaire à faible grossissement.

Région de la constellation d'Andromède photographiée avec un petit téléphoto de 135 mm de focale ouvert à f: 2,8. Exposition de 15 minutes sur film 103a-F avec une table équatoriale. On y reconnaît la grande galaxie d'Andromède ainsi que les étoiles β, μ et ν d'Andromède.

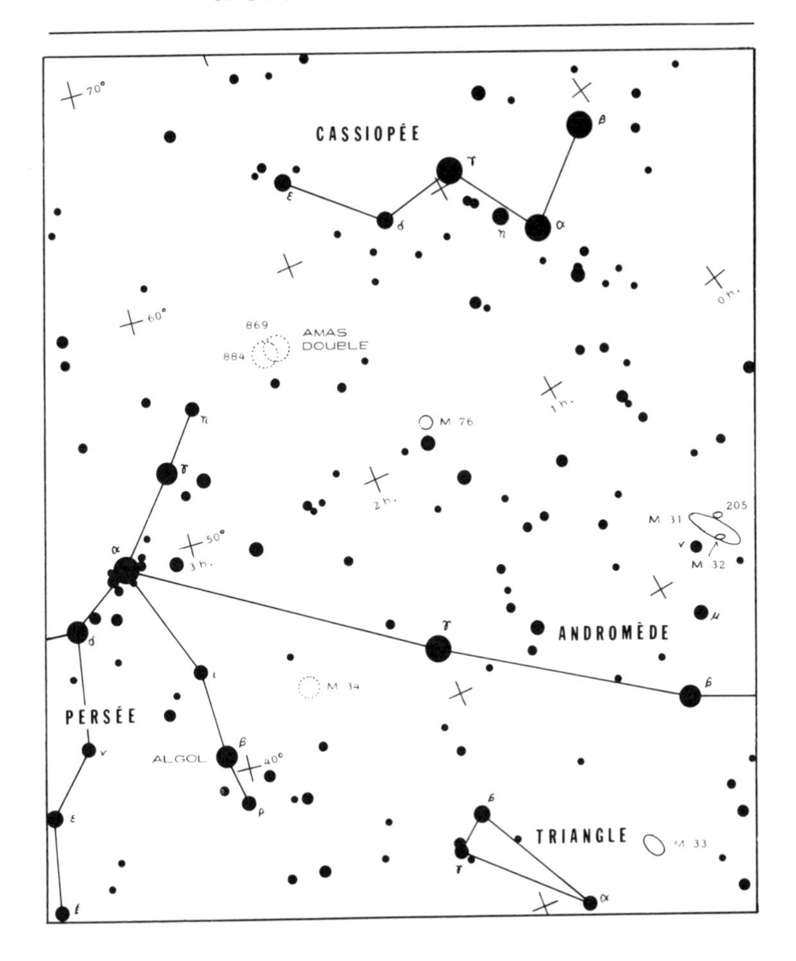

Figure 5.14: Les constellations d'Andromède, Cassiopée et Persée dominent le ciel d'automne. Les objets les plus remarquables sont la grande galaxie d'Andromède et l'amas double de Persée.

Étoiles doubles

γ (Gamma) Andromède: Il s'agit d'un très beau couple coloré composé d'une étoile jaune de magnitude 2,3 et d'une verte de magnitude 5,1. La séparation entre les deux est de 10".

η (Eta) Cassiopée: Un autre couple coloré composé d'une étoile jaune de magnitude 3,7 et d'une très petite étoile rouge de magnitude 7,5 distante de 12" de la première.

Étoiles variables

β (Bêta) Persée: Il s'agit d'Algol, l'étoile variable à éclipses la plus connue. Elle se tient presque tout le temps à la magnitude 2,1. Cependant, à tous les 2,86731 jours, la plus brillante étoile est éclipsée par une plus faible, ce qui fait tomber la magnitude à 3,3 pendant quelques heures.

ρ (Rhô) Persée: Étoile variable semi-régulière variant entre les magnitudes 3,3 et 4. Elle est située juste au sud d'Algol.

6. LES ASTRONOMES AMATEURS EN ACTION

LES SOCIÉTÉS ET LES CLUBS

Il est possible de pratiquer l'astronomie en solitaire, chez soi, en lisant des volumes ou en scrutant le ciel à l'aide d'un télescope et d'un atlas descriptif. Il est cependant beaucoup plus profitable de faire partie d'un groupe d'astronomes amateurs. On y trouve des personnes qui ont les mêmes goûts et qui s'intéressent aux mêmes activités. On peut aussi profiter des conseils d'experts et de vieux routiers dans le domaine. On peut enfin participer aux activités de ces groupes et se perfectionner au contact des autres membres.

Activités des groupes

Chaque société ou club existant au Québec possède ses activités propres. On peut dire quand même que tous permettent à leurs membres d'entendre des conférences ou des causeries hebdomadaires ou mensuelles. Plusieurs groupes organisent régulièrement des expositions et des soirées d'observation destinées au public, dans le but de faire connaître l'astronomie. Ces événements se tiennent dans les écoles, les centres d'achat, les centres culturels, etc.

Lorsqu'un phénomène astronomique important se produit, comme une éclipse, une occultation, une pluie d'étoiles filantes, on organise une expédition ou une observation de

Quelques coins de la salle d'exhibition du congrès de l'Association des groupes d'astronomes amateurs tenu à l'Université Laval en juin 1978. À chaque année, cette rencontre regroupe des centaines d'intéressés. On y présente des travaux, des photos astronomiques d'amateurs, des télescopes ainsi que des conférences et des films.

groupe. Quelques associations possèdent leur section sur la construction des télescopes où des moniteurs spécialisés conseillent les débutants. En vue de stimuler la qualité des instruments, on organise même des concours et des prix sont décernés aux meilleurs constructeurs de télescope. Certains groupes organisent des visites à des observatoires ou d'autres centres d'intérêt astronomique. Enfin, plusieurs publient un bulletin mensuel que tous leurs membres reçoivent.

Organisation

La majorité des groupes sont membres de l'AGAA, l'Association des groupes d'astronomes amateurs du Québec. L'AGAA organise quelques activités à l'échelle de tout le Québec, comme par exemple un congrès annuel. Ce congrès se tient dans une ville différente chaque année. De plus, l'AGAA publie dix fois par année une revue, *Le Québec astronomique,* qui est distribué à tous les membres des sociétés.

Adresses des groupes d'astronomes amateurs

Voici les endroits où l'on doit s'adresser pour devenir membre d'un club ou d'une société d'astronomie. Il existe quelques groupes locaux et clubs scolaires qui ne sont pas dans cette liste:

Astro-Club du collège de Lévis
8, rue Blouin
Lévis, Québec G6V 5W5
Stéphane Labrecque

Club d'astronomie Jupiter Inc.
2775, Lajoie
Trois-Rivières, Québec G8Z 3G4
Gilles St-Laurent

Astro-Club Thémis
Chemin Bellevue
St-Louis du Ha! Ha!, Québec G0L 3S0
Richard Vézina

S.R.A.C. Centre de Québec
C.P. 9396
Ste-Foy, Québec G1V 4B5
Jean-Marie Fréchette

Club d'astronomie Espace de Montréal
1750, Édouard Laurin, app. 5
Montréal, Québec H4L 2C1
Marc Jobin

Société d'interprétation astronomique de Granby
30, Barre
Granby, Québec J2G 9H8
Denis Campbell

Club d'astronomes amateurs de Sherbrooke
1615, Lisieux
Sherbrooke, Québec J1K 2A8
Éric Pelletier

C.A.R.A.Q.
1974, rue Dion
Duberger, Québec G1P 2W1
Denis Martel

Société d'astronomie de Montréal
1362, rue Holmes
St-Hubert, Québec J4T 1P5
Marc Gélinas

Club d'astronomie de Belœil
C.P. 102
Belœil, Québec J3G 4S8
Gilles Ouellet

Club des astronomes amateurs de Verdun
765, Osborne
Verdun, Québec H4H 1X3
Victor Lefebvre

Société d'astronomie Lanaudière
360, Dufresne
Joliette, Québec J6E 6C3
Marc Martineau

Club d'astronomie de Drummondville Inc.
85, 118e avenue
Drummondville, Québec J2B 4E1
Réal Manseau

Club d'astronomie de l'Université du Québec à Rimouski
727, de l'Horizon
Pointe-au-Père, Québec G0K 1G0
Gaston Dumont

Club d'astronomie Maskoutain Inc.
12880, Richer, app. 2
St-Hyacinthe, Québec J2T 2P8
Normand Hébert

Club d'astronomie amateur Sirius du Saguenay Inc.
56, avenue Larochelle
Chicoutimi, Québec G7H 5M6
Serge Charbonneau

Club Cosmœil du Cégep Rivière-du-Loup
80, rue Frontenac
Rivière-du-Loup, Québec G5R 1S2
John Rice

Les Astriens
580, des Artisans
St-Denis de Brompton, Québec J0B 2P0
François Brillon

Club d'astronomie de Longueuil
228, rue Guillaume
Longueuil, Québec J4H 1S2
Jean-Paul Langevin

Club d'astronomie Mira Inc.
656, Wilfrid Martin, app. 8
St-Jérôme, Québec J7Z 3R6
Rachel Piché

Club d'astronomie M53 de Fermont Inc.
11, Ericson, C.P. 1191
Fermont, Québec G0G 1J0
Jean-Clément St-Gelais

Club des astronomes amateurs de Laval
3782, Michel
Fabreville, Laval, Québec H7P 1E6
Gilles Levasseur

Société astronomique de Dolbeau
1200, route de la Friche
Dolbeau, Québec G8L 2R1
Richard Roy

Club d'astronomie de Val d'Or
125, rue Self
Val d'Or, Québec J9P 3N2
Jean-Guy Moreau

Toute association groupant plus de dix personnes peut devenir membre de l'AGAA. Pour vérifier où se situe le groupe d'astronomes amateurs le plus près de chez soi ou pour d'autres renseignements pertinents, on peut communiquer avec l'AGAA à l'adresse suivante:

Association des groupes d'astronomes amateurs
C.P. 1000, succ. M
Montréal, Québec H1V 3R2
Maurice Provencher
Téléphone: (514) 252-3038

Stages d'été

Pour ceux qui désirent faire de l'astronomie pratique et intensive durant une ou deux semaines, il existe au Québec, depuis plusieurs années, quelques stages se déroulant durant la belle saison. Il y a par exemple celui de Port-au-Saumon, d'une durée de deux semaines et destiné aux jeunes de 15 à 20 ans. Port-au-Saumon est un centre écologique situé sur le bord du Saint-Laurent entre La Malbaie et Saint-Siméon. Durant l'été, on y donne deux stages en sciences naturelles en juillet et un en astronomie au mois d'août, alors que les nuits deviennent un peu plus longues.

L'horaire des stagiaires est un peu spécial: lever vers 11 heures, petit déjeuner à midi, activités sportives, culturelles et astronomiques dans l'après-midi, dîner à 18 heures, observations astronomiques et coucher vers trois heures du matin. Le centre est très bien équipé matériellement et en personnel qualifié. Pour plus de renseignements, écrire à l'adresse suivante: Jeunes Biologistes du Québec, C.P. 1000, Rigaud, Québec, J0P 1P0. Tél.: (514) 451-5311.

Pour les jeunes, un autre stage se déroule chaque été à l'observatoire de Saint-Nérée, appartenant à l'Astro-Club du Collège de Lévis. Cet observatoire est équipé d'un télescope de 360 mm d'ouverture ainsi que d'une caméra Schmidt. La photographie astronomique est une de ses spécialités. Pour

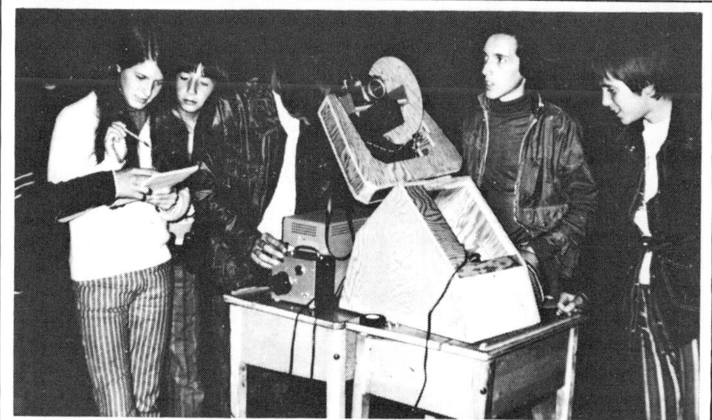

Jean Vallières

Quelques activités lors d'un stage d'été en astronomie, celui de Port-au-Saumon. EN HAUT : le professeur Roger Gagnon donne les instructions nécessaires au sujet des observations à faire durant la prochaine nuit. EN BAS : des stagiaires s'apprêtent à photographier le ciel à l'aide d'une table équatoriale.

plus de renseignements, on s'adresse à l'Astro-Club du Collège de Lévis (adresse dans la liste des pages précédentes).

Il existe aussi des stages destinés aux adultes. Ce genre de session se déroule ordinairement durant la soirée entre 20 heures et minuit. On y présente des conférences, des films, et on y fait de l'observation au télescope et de la photographie astronomique quand la température le permet. Les stagiaires adultes sont libres durant le restant de la journée. Ils peuvent loger dans les auberges et sur les terrains de camping de la région. C'est une façon agréable de passer des vacances à la fois reposantes et instructives. Au cours des années, de nouveaux stages peuvent se donner dans différentes régions. On doit donc s'informer à l'AGAA si on a l'intention d'y participer.

Visites d'observatoires et de planétariums

Plusieurs clubs d'astronomie organisent périodiquement des visites dans des observatoires professionnels. On peut citer l'observatoire David-Dunlap à Richmond Hill, Ontario, avec son télescope de 1 850 mm d'ouverture. Quelques astronomes amateurs québécois ont même fait leur pèlerinage à l'observatoire du mont Palomar en Californie; d'autres sont allés en France, au Pic-du-Midi et à l'observatoire de Haute-Provence. De nombreux observatoires sont ouverts au public à certaines heures. Il est certainement plus prudent de s'informer et de réserver avant de s'y rendre.

Nous avons chez nous un observatoire professionnel qui n'a absolument rien à envier aux autres. Il s'agit de l'Observatoire astronomique du mont Mégantic, à environ 60 kilomètres à l'est de Sherbrooke. Cet observatoire possède un télescope de 1 600 mm d'ouverture à travers lequel le public est invité à observer les astres les samedis soirs d'été, quand le ciel est clair. Pour être admis, on doit réserver en téléphonant à l'Université de Montréal au numéro (514) 343-6718 ou à l'Université Laval à (418) 656-5816. De plus, l'observatoire est ouvert sans réservation tous les après-midis de la belle saison, de 14h à 18h, si on désire seulement voir le télescope sous son dôme ainsi que le paysage au sommet d'une des plus hautes montagnes du sud du Québec.

La planétarium Dow de la ville de Montréal est un des plus modernes du monde. La planétarium, c'est le théâtre des étoiles, en prenant le mot «étoiles» au sens littéral. Au centre d'un dôme d'une vingtaine de mètres, se trouve un projecteur très compliqué muni d'un tas de lentilles et d'engrenages pouvant non seulement nous montrer la sphère étoilée à n'importe quel jour et à n'importe quelle heure, mais aussi simuler les mouvements accélérés du Soleil, de la Lune et des planètes. Par-dessus ces étoiles, il est possible de projeter les coordonnées célestes, les figures des constellations et toutes sortes d'effets spéciaux. La magie du planétarium, c'est de voir les constellations d'hiver avec un réalisme saisissant en plein centre-ville et par une confortable température de 20° C. Pour connaître les heures des représentations, on doit téléphoner au numéro: (514) 872-4530.

LES CONDITIONS D'OBSERVATION AU QUÉBEC

Le choix d'un site

Ce qui est important pour la qualité des observations astronomiques, soit le nombre d'heures de ciel clair durant la nuit ainsi que l'absence de turbulence atmosphérique, l'est aussi bien pour les amateurs que pour les professionnels. À ce sujet, le Québec comme endroit d'observation n'est ni meilleur ni pire que la plupart des autres endroits du monde. En étudiant bien les micro-climats, il est possible de trouver chez nous des sites un peu meilleurs que la moyenne. Le dessus d'une haute montagne isolée comme le mont Mégantic est un de ces endroits privilégiés. L'atmosphère y est calme et on y laisse une bonne fraction d'humidité et de brouillard à une altitude plus basse.

Il existe d'autre part des sites où les conditions sont affreuses, par exemple un terrain sur le bord d'un lac entouré

Observatoire du Mont Mégantic

La coupole de l'observatoire du Mont Mégantic sous les étoiles. Cet observatoire est situé à une altitude de 1 111 mètres sur un des sommets les plus élevés du Sud du Québec dans un endroit où le ciel est très noir. La coupole rotative mesure 13 mètres de diamètre et est pourvue d'une fente large de 3,5 mètres. Les traînées lumineuses produites par les étoiles sont dues à la rotation de la Terre pendant la pose.

Observatoire du Mont Mégantic

Le grand télescope de l'observatoire du Mont Mégantic possède un miroir primaire de 1 600 mm de diamètre et de 200 mm d'épaisseur percé d'un trou central de 400 mm de diamètre. Un système à bascule permet d'interchanger deux miroirs secondaires convexes dans la partie supérieure du tube, donnant ainsi des focales équivalentes de 12,8 mètres ou de 24 mètres. L'ensemble pèse 24 tonnes. Ce télescope permet de voir des astres dix millions de fois moins apparents que ceux que l'on peut distinguer à l'œil nu.

La construction d'un observatoire d'amateur peut demander autant de temps et d'efforts que celle d'une petite maison. On y retrouve les mêmes étapes, à partir des fondations jusqu'à la finition. La construction de la coupole rotative demande cependant plus de calculs et d'imagination que celle d'un toit ordinaire. La coupole de cet observatoire, appartenant à l'auteur, a été construite à partir d'un dôme de silo en aluminium.

de montagnes. Les différences de température entre l'eau du lac et l'air des montagnes produisent souvent une turbulence désastreuse pour les images. Il arrive très souvent aussi que moins de trente minutes après avoir sorti son instrument, l'observateur passe plus de temps à enlever la rosée sur son objectif et ses oculaires qu'à scruter le ciel et que, pour couronner le tout un peu plus tard, un beau brouillard couvre tout le lac. Pour ceux qui peuvent apporter un télescope à la campagne, le meilleur moyen d'éviter des désagréments est de choisir un des sites les plus élevés des alentours. On recommande à ceux qui sont à la recherche d'un site idéal de se procurer le cahier no 4 de la banque d'information de l'AGAA intitulé «Sites d'observation et conditions atmosphériques».

L'observation en hiver

On dit que l'hiver est synonyme de mauvais temps et de tempêtes. C'est faux. Il y a certainement des tempêtes mais le ciel n'est pas couvert en moyenne plus souvent qu'en été. Un ciel dégagé d'hiver est ordinairement plus pur et plus cristallin qu'un ciel de beau temps en été. Durant la «belle» saison et surtout durant les canicules, le ciel est brumeux et chargé d'humidité; il est d'un bleu délavé durant la journée et nous empêche de voir les plus fins détails de la Voie Lactée durant la nuit. Pour l'observation de la Lune et des planètes, un ciel humide ne nuit pas du tout cependant.

En hiver, les nuits sont plus longues; pas besoin d'attendre à 22 heures pour que le crépuscule astronomique soit terminé (quand le Soleil est à 18 degrés sous l'horizon). Il fait complètement noir avant 18 heures. Enfin, même au niveau du sol, l'air est plus sec en hiver. Il est plus rare de rencontrer une gelée blanche sur le télescope en hiver qu'une rosée en été ou en automne. En hiver, on peut observer sur le bord d'un lac.

Au Québec, le froid est pratiquement le seul problème rencontré lors de l'observation d'hiver, surtout à cause de l'inconfort qu'il produit. À ce sujet, l'astronome amateur doit profiter de l'expérience acquise dans le domaine des sports d'hiver. Un conducteur de motoneige et un observateur d'étoiles sont souvent dans les mêmes conditions. Ils ne sont pas physiquement assez actifs pour s'empêcher de geler. Ils doivent donc s'habiller de la même façon. On trouve même sur le marché des bas et des gants chauffés par un élément électrique.

Le froid peut aussi causer des difficultés mécaniques, surtout provoquées par le durcissement des lubrifiants. On peut alors remplacer les lubrifiants d'origine dans les mouvements et engrenages du télescope par des lubrifiants adaptés au froid, par exemple la graisse utilisée dans les motoneiges. On recommande enfin si possible de ne pas poser les pieds du télescope sur la neige. En effet, sous la pression des pieds, même la neige durcie se déforme et le télescope bouge. Ce peut être suffisant pour rater une photographie astronomique. Il est préférable d'installer l'instrument sur une dalle de béton dégagée.

La pollution lumineuse artificielle

De nos jours, il est de plus en plus difficile de trouver un ciel vraiment noir, nécessaire pour l'observation idéale, des nébuleuses, des amas d'étoiles faibles et de la Voie Lactée. Au siècle dernier, on construisait encore des observatoires professionnels dans le centre des grandes villes. Il y a cinquante ans, on érigeait l'observatoire David-Dunlap à quelques kilomètres au nord de Toronto. Aujourd'hui, le critère de la pollution lumineuse est aussi important que le climat dans le choix d'un site d'observatoire et il faut souvent aller très loin pour se débarrasser de la lumière artificielle. Le mont Mégantic, par exemple, est situé dans un endroit encore relativement noir pour le moment. Si les nuages nous cachent le ciel de temps en temps, la pollution lumineuse est toujours là et elle double à tous les dix ans.

La carte de la figure 6.1 montre les isophotes (en unités S-10) de la contribution lumineuse artificielle au zénith de

Jean Vallières

La grande nébuleuse d'Orion, M 42, photographiée au foyer primaire du télescope de 310 mm d'ouverture de l'auteur. Exposition de 16 minutes sur film à diapositive de 160 ASA. Il s'agit d'une énorme masse de gaz, surtout de l'hydrogène, rendue luminescente par le rayonnement X et ultra-violet des étoiles proches. La couleur rose ou rouge provient de la raie H alpha émise par l'hydrogène dont la longueur d'onde, 6 563 angströms, se situe dans la partie rouge du spectre visible.

Jean Vallières

Le centre de la Voie Lactée dans la région du Sagittaire. On retrouve sur cette photo de nombreux objets Messier, amas stellaires et nébuleuses, visibles aussi sur la carte de la même région. Photo prise sur une table équatoriale avec un appareil-photo 35 mm muni d'un objectif normal de 50 mm ouvert à f: 1,4. Exposition de 15 minutes sur film de 160 ASA.

Projets d'astronomes amateurs: EN HAUT À GAUCHE: la chasse aux comètes: photo de la comète West obtenue le 9 mars 1976 par M. Rebetez au foyer primaire d'un télescope de 200 mm. EN HAUT À DROITE: spectroscopie: spectre éclair de la chromosphère solaire photographié à l'éclipse du 7 mars 1970 par Jocelyne Malbœuf. EN BAS À GAUCHE: photométrie: tube photomultiplicateur. EN BAS À DROITE: électronique: tableau de commandes d'un télescope construit par l'auteur et pouvant pointer automatiquement tout objet céleste.

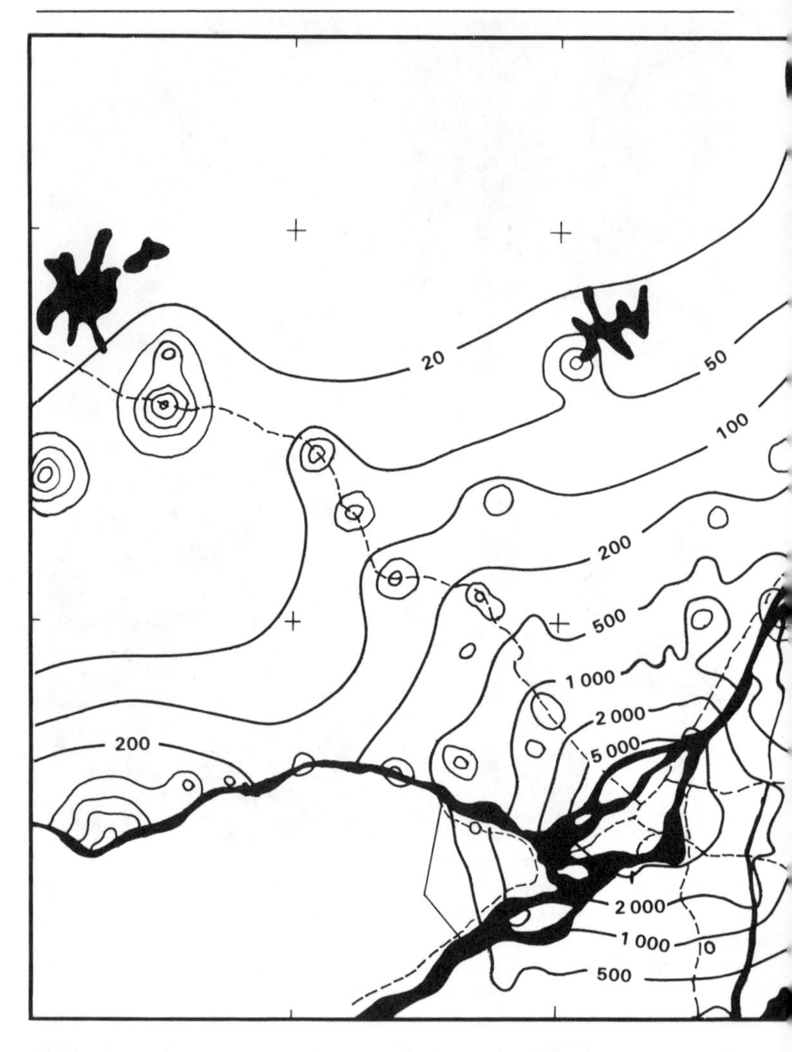

Figure 6.1 : Carte du Sud du Québec montrant les isophotos de la luminosité artificielle du ciel nocturne en unité S-10. Une unité

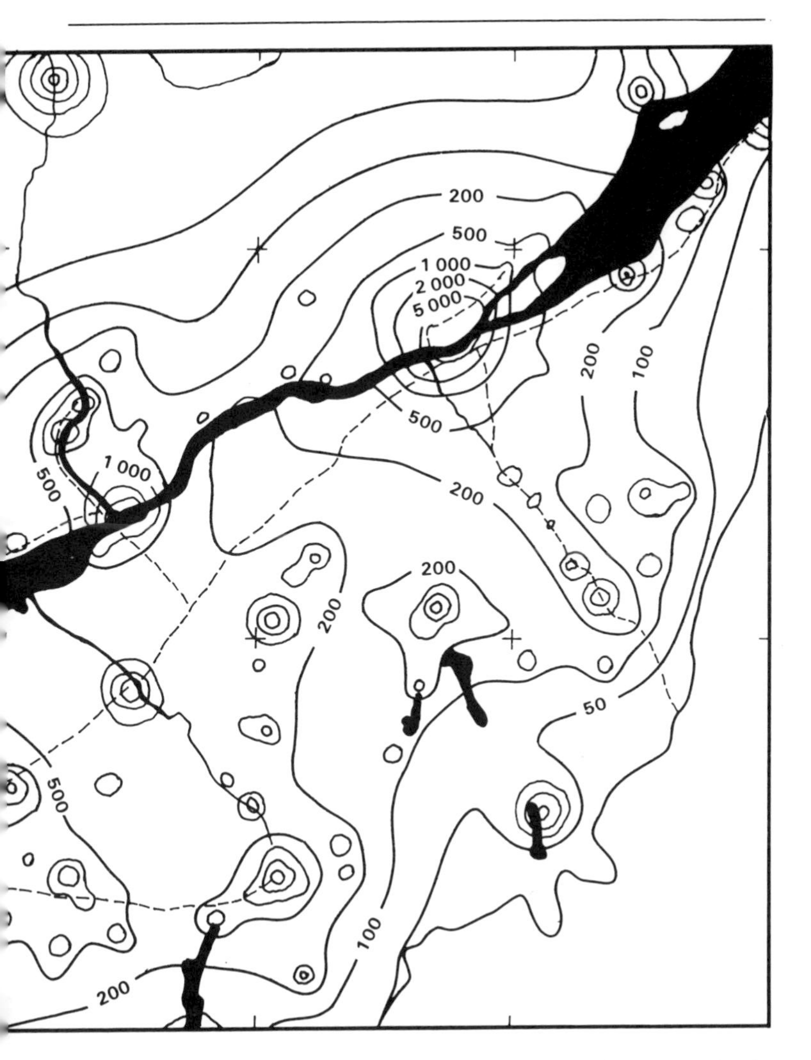

S-10 équivaut à la luminosité d'une étoile de dixième magnitude répartie sur une surface d'un degré carré.

EN HAUT: observatoire assez inusité, de type «iglou», construit par Damien Lemay de Rimouski avec des murs en neige durcie. **EN BAS**: observatoire plus récent appartenant à la même personne et construit à partir d'une roulotte chauffée et d'une pièce munie d'un toit amovible.

chaque point géographique. Il s'agit d'un calcul théorique effectué par l'auteur sur ordinateur et adapté pour le ciel du sud du Québec à partir d'un travail similaire fait par R.L. Berry et R. Pike du centre de Toronto de la Société royale d'astronomie du Canada et d'un article ayant paru dans le numéro de juin 1976 du *Journal* de la S.R.A.C.

Le ciel n'est jamais parfaitement noir. La luminosité naturelle du ciel nocturne sans Lune et sans aurore boréale est d'environ 250 unités S-10. Voici l'apparence du ciel de nuit à différents degrés de pollution lumineuse en unités S-10:

0 unité: On y voit une poussière d'étoiles semblant se toucher les unes les autres jusqu'à l'horizon. La Voie Lactée est aussi visible jusqu'à l'horizon et les nuages apparaissent comme des silhouettes noires sur le fond du ciel.

20 unités: Comme ci-haut excepté vers l'horizon où l'on voit une faible lueur au-dessus d'une ou de plusieurs villes éloignées.

100 unités: La Voie Lactée n'est plus visible jusqu'à l'horizon. Les nuages ont une teinte grise au zénith.

500 unités: Pour un citadin, la Voie Lactée est encore belle au zénith mais les contrastes sont réduits et les fins détails perdus. On perd aussi les étoiles les plus faibles. Les nuages sont plus brillants que le fond lui-même au zénith.

2 000 unités: C'est tout juste si on distingue la Voie Lactée près du zénith. Le ciel est gris terne et on voit des dômes de lumière au-dessus des villes.

5 000 unités: On ne voit que les plus brillantes étoiles. Le ciel est brillant et délavé partout.

Pour ne pas terminer sur une note pessimiste, disons que la majorité des photos reproduites dans ce volume ont été prises dans un ciel dont la pollution lumineuse dépasse 500 unités. Il existe sur le marché des filtres interférentiels sélectifs laissant passer la lumière émise par les nébuleuses et bloquant en partie celle des lampes au mercure et au sodium. Ces filtres se vendent environ cent dollars l'unité.

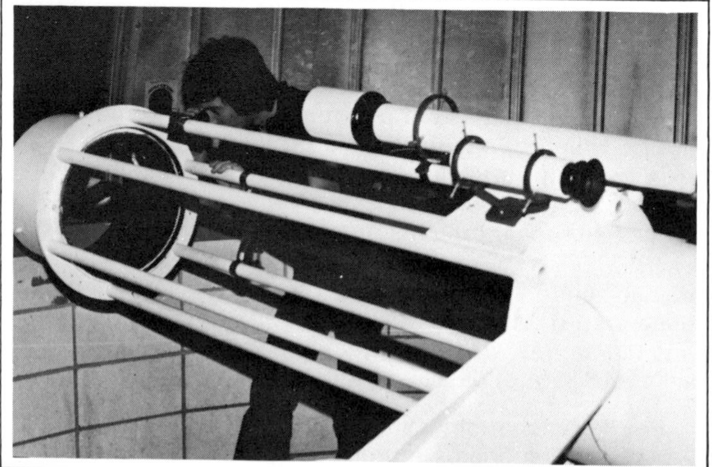

Reynald Bouchard

Observatoire et télescope du Centre-Astro de Dolbeau, situé à quelques kilomètres au nord du lac Saint-Jean, et construit selon le modèle le plus répandu chez les grands observatoires. On y retrouve un dôme rotatif et une fente permettant d'observer le ciel au complet.

LA CONTRIBUTION DES AMATEURS À LA SCIENCE

Il existe un certain nombre de domaines où les astronomes amateurs peuvent contribuer à l'avancement de l'astronomie. Il s'agit souvent de domaines mis de côté par les astronomes professionnels puisque ces derniers tentent d'utiliser leurs puissants instruments à la limite de leurs possibilités pour obtenir des renseignements photographiques, photométriques et spectroscopiques sur des objets situés aux confins de l'Univers. Les domaines délaissés ne sont pas nécessairement moins importants, mais on les explore souvent avec de plus petits instruments. Ils peuvent aussi demander la collection d'un très grand nombre d'observations provenant de tous les coins de la Terre et réparties sur de grandes périodes de temps. Voici donc quelques domaines où les amateurs peuvent contribuer à la science.

Les occultations lunaires

Dans son mouvement orbital autour de la Terre, la Lune passe quelquefois devant des étoiles brillantes et nous les cache temporairement. Ces phénomènes d'occultation lunaire sont toujours impressionnants tellement ces étoiles disparaissent subitement, plus vite qu'une ampoule qu'on éteint. Du point de vue scientifique, une occultation lunaire est intéressante si on peut la chronométrer avec une précision de l'ordre du dixième de seconde, ce que les amateurs peuvent faire avec le signal horaire CHU ou WWV. On peut alors connaître avec précision les dimensions de la Lune et les mouvements de son orbite.

Il existe aussi des occultations rasantes quand le bord de la Lune frôle l'étoile. On peut alors voir l'étoile disparaître puis apparaître plusieurs fois derrière les montagnes situées sur le limbe lunaire. Comme une éclipse totale de Soleil, une occultation rasante n'est visible que le long d'une bande étroite sur la Terre. Ici, cette bande ne mesure que quelques kilomètres.

À l'aide des chronométrages d'observateurs répartis le long d'un chemin perpendiculaire à cette bande, on peut ensuite facilement reconstituer le relief des montagnes lunaires qui ont caché l'étoile.

Les éclipses

Les éclipses totales de Soleil peuvent se produire dans tous les coins du globe et il y a des astronomes amateurs partout dans le monde. Ici, c'est surtout la quantité d'observations différentes recueillies tout le long de la bande de totalité qui peut être utile. Ces observations comprennent des chronométrages des phases, des photographies de la couronne solaire, des mesures de la température durant l'éclipse, des observations de ses effets sur la faune, etc.

Les taches solaires

La surface du Soleil est parsemée de taches sombres dont le nombre varie entre zéro et un maximum dépassant la centaine avec un cycle de onze ans. La courbe du nombre de taches en fonction du temps est faite à partir d'une moyenne provenant des observations de nombreuses personnes. À Montréal par exemple, François Chèvrefils observe la surface du Soleil tous les jours de beau temps depuis plusieurs années. Les présents maxima d'activité solaire, en nombre de taches, ont lieu en 1980 et en 1991. On recherche aussi s'il n'y a pas un autre cycle plus long se superposant sur celui de 11 ans. L'observation quotidienne du Soleil permet de détecter les tempêtes solaires et de prévoir quelques jours d'avance leurs effets dans l'atmosphère terrestre : aurores boréales et perturbations de l'ionosphère affectant la transmission des ondes radio.

Les météorites

Tout le monde peut facilement observer les étoiles filantes, ces petits cailloux se consumant à une altitude de 60 à 100 kilomètres dans l'atmosphère en laissant des traces lumi-

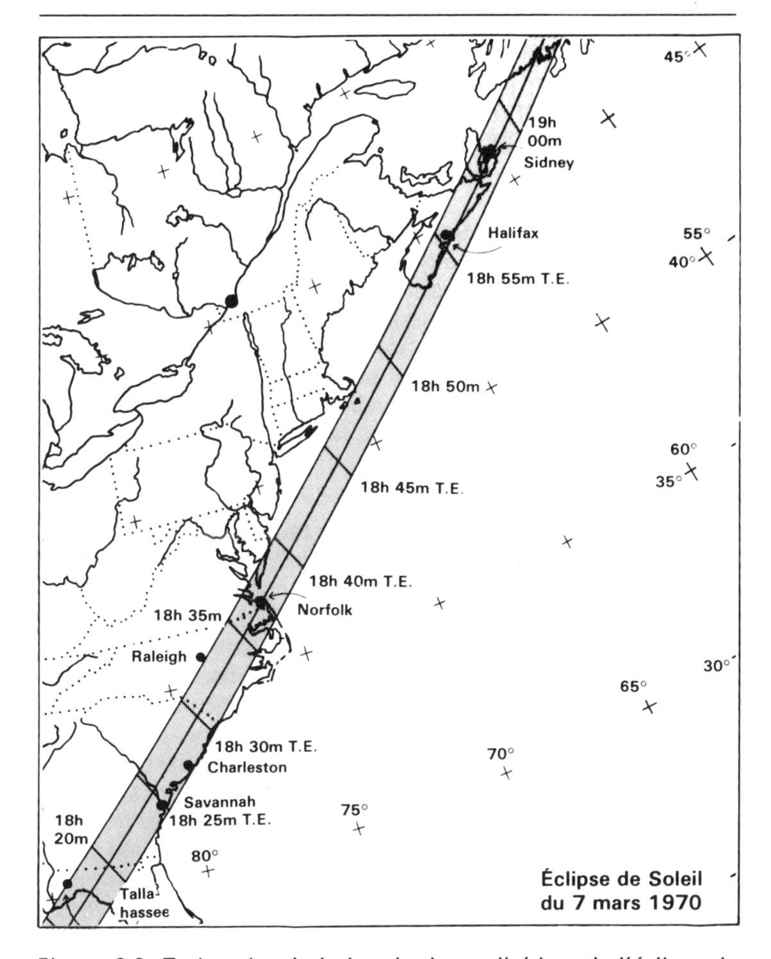

Figure 6.2: Trajectoire de la bande de totalité lors de l'éclipse du 7 mars 1970. Cette éclipse a pu être observée du Mexique jusqu'à Terre-Neuve. Il y avait des astronomes amateurs tout le long de la bande; heureusement puisque le ciel n'était pas dégagé partout. Le ciel était clair en Caroline du Nord où l'auteur se trouvait à ce moment avec un groupe de Québécois.

neuses. Si on place deux équipes d'observateurs distantes d'environ 30 kilomètres, on peut aller plus loin en mesurant par triangulation l'altitude exacte d'une étoile filante si cette dernière est vue simultanément par les deux équipes. Aussi, des mesures et des photos prises par des amateurs des trajectoires de gros bolides pénétrant dans l'atmosphère ont déjà été utiles afin de retrouver des morceaux de ces météores au sol.

La chasse aux comètes

Dernièrement, un jeune astronome amateur du centre d'Ottawa de la Société royale d'astronomie du Canada, Rolf Meier, a été le premier Canadien à recevoir le crédit pour la découverte d'une comète. C'était en mars 1978. Il en découvrit une deuxième en septembre 1979, toujours en faisant ses observations à l'aide du télescope de 400 mm d'ouverture de l'observatoire d'Indian River, Ontario. À cause du temps qu'il faut y consacrer et de la part de hasard qu'on y rencontre, la chasse aux comètes est un domaine réservé aux amateurs, même si les grands observatoires en découvrent quelquefois en examinant des photos prises à d'autres fins. Le découvreur a l'honneur de voir son nom donné à la comète qu'il a trouvée.

La chasse aux astéroïdes et aux novæ

Les astéroïdes sont ces milliers de petites planètes et de grosses roches circulant entre les orbites de Mars et de Jupiter. Les novæ et les supernovæ sont ces étoiles qui explosent en devenant pour quelques jours plusieurs milliers de fois plus lumineuses. Une étoile invisible même dans un télescope peut ainsi devenir temporairement aussi brillante que Jupiter à l'œil nu. Il est important de découvrir une novæ dès le début de son explosion, même avant qu'elle ait atteint son maximum de luminosité. Ces découvertes sont souvent l'oeuvre d'amateurs.

Aux États-Unis, un astronome amateur, Ben Mayer, a mis sur pied un projet nommé «Problicom» pour «projector blink comparator». Quelques Québécois y participent. Avec un appareil-photo 35 mm équipé d'un objectif de 50 à 135 mm de focale, il s'agit de prendre des photos du ciel en exposant une dizaine de minutes; cela suffit pour montrer toutes les étoiles visibles avec un télescope de 100 mm d'ouverture. On prend d'abord deux photos du même coin du ciel et dans les mêmes conditions à un mois d'intervalle. On insère ensuite les deux diapositives obtenues dans deux appareils projetant les deux images superposées sur le même écran. Devant les lentilles des projecteurs, on place un disque stroboscopique qui, en tournant, cache alternativement une image puis l'autre.

Si une nova est absente sur la première photo et présente sur la deuxième prise un mois plus tard, on voit alors sur l'écran une étoile qui clignote et qui saute immédiatement aux yeux parmi les autres étoiles stables. De la même manière, un astéroïde qui s'est déplacé durant le mois apparaît comme une étoile qui avance et recule continuellement. Une étoile variable dont la magnitude a changé apparaît comme un point lumineux en pulsation.

Les étoiles variables

Il existe des milliers d'étoiles variables accessibles aux instruments d'amateurs. On y rencontre tous les types: variables à éclipses comme Algol, étoiles pulsantes comme Delta Céphée, variables irrégulières, variables à longues périodes comme Mira de la Baleine et Chi du Cygne. C'est tout un travail que de conserver à jour les courbes de luminosité de toutes ces étoiles variables. L'AAVSO (American Association of Variable Star Observers) s'acquitte de cette tâche. Cette association regroupe des centaines d'amateurs à travers le monde. Ainsi, quand une étoile est invisible en Amérique parce que c'est le jour, on peut l'observer en Europe ou au Japon. On obtient alors des courbes de luminosité ininterompues et ayant une précision meilleure que le dixième de magnitude en faisant les moyennes d'un grand nombre d'observations. Les renseignements obtenus depuis de nombreuses années sont d'une valeur inestimable pour comprendre la structure et l'évolution de ces étoiles.

LA PHOTOGRAPHIE ASTRONOMIQUE

Dans les grands observatoires, la photographie a depuis longtemps déclassé l'observation visuelle. Les deux principales causes de ce phénomène sont l'objectivité du document photographique et le gain de sensibilité sur l'œil. La photographie prolongée permet d'accumuler pendant les heures d'exposition les photons de lumière provenant de l'espace tandis que l'œil n'accumule que pendant un dixième de seconde, même si on observe pendant plusieurs minutes. Dans un même télescope, la plaque photographique, comparée à l'œil, permet de détecter des étoiles 20 fois plus faibles. Il est encourageant que cet outil puissant, la photographie astronomique, soit à la portée de l'astronome amateur. Si en plus on utilise du film couleur, les résultats sont souvent spectaculaires.

Photographie avec un appareil 35 mm stationnaire

Il existe un domaine de la photographie astronomique où il est possible d'obtenir des résultats intéressants sans l'aide d'un télescope ou d'une monture équatoriale. Les instruments nécessaires sont simplement un appareil-photo et un trépied. Pour ce genre de photos, on peut utiliser n'importe quel type d'appareil, à la condition qu'il possède l'indication B ou T pour permettre des expositions prolongées dépassant une seconde.

Le rapport d'ouverture indiqué ordinairement sur l'objectif (ex.: 1,4, 2, 2,8..., 11, 16) a la même signification que dans le cas d'un télescope. Un télescope de 150 mm d'ouverture ayant une distance focale de 1 200 mm est ouvert à f: 8 parce que le diamètre de l'objectif est le huitième de la distance focale. Il en est de même pour un objectif photographique. Si par exemple l'objectif a une distance focale de 50 mm et s'il est ouvert à f : 4, cela veut dire que la lentille est diaphragmée à 12,5 mm de diamètre. À f : 2, elle est diaphragmée à 25 mm. La quantité de lumière passant à travers l'objectif dépend directement de la surface de l'objectif ou du carré de son diamètre. Donc il passe quatre fois plus de lumière à f : 2 qu'à f : 4 puisque le diamètre étant le double, la surface est quatre fois plus grande. En photographie astronomique, où l'intensité lumineuse des astres est très faible, on doit souvent utiliser le plus grand diamètre d'ouverture possible.

Pour ce genre de photographie, la principale qualité du film est la sensibilité. Les films commerciaux les plus sensibles et faciles à obtenir ont une vitesse ASA de 400, que ce soit en noir et blanc ou en couleurs. En utilisant des films à diapositives, même quelqu'un qui ne possède pas de laboratoire peut faire de la photographie astronomique. En noir et blanc, c'est plus risqué, puisqu'un négatif ne contenant que quelques points noirs (les étoiles) ne sera peut-être même pas agrandi par le laboratoire commercial. Il existe toutefois des endroits où l'on peut faire agrandir ses photos astronomiques, comme chez Direct Film, si on inscrit bien la mention «photographie astronomique».

Il existe trois méthodes de photographie astronomique avec un appareil stationnaire : l'exposition prolongée, l'instantané et la photographie multiple. Pour chacune de ces méthodes, l'appareil est fixé solidement sur un trépied et vise l'endroit choisi du ciel.

L'exposition prolongée avec un appareil fixe

On laisse l'objectif ouvert pendant un temps qui peut varier de quelques minutes à quelques heures. À cause du mouvement diurne de la Terre, les étoiles se déplacent sur l'hémisphère céleste durant l'exposition. On enregistre alors sur le film la trajectoire parcourue par chacune des étoiles entre le début et la fin de l'exposition.

Comme première expérience, on peut aligner l'appareil vers l'étoile Polaire et exposer durant une heure en ayant soin d'ajuster l'objectif à l'infini et d'enlever le capuchon sur la lentille. La Polaire ne bougeant pas ou presque donnera une image ponctuelle tandis que les autres étoiles décriront des arcs de cercles concentriques. Pour calculer l'angle décrit par les arcs de cercle, il suffit de se souvenir que les étoiles font un angle de 360 degrés en 23 heures 56 minutes et 4 secondes, soit environ 15 degrés en une heure. Si le temps d'exposition est trop long, la lumière du fond du ciel risque de voiler le film, surtout en ville. Avec du film de 160 ASA, on peut facilement exposer une heure avec une ouverture de f: 2,8 sans problème à la campagne. En ville ou en banlieue, il faut exposer moins longtemps ou bien diaphragmer à f: 8. Une photo bien réussie montre spectaculairement les couleurs des étoiles et on peut augmenter l'intérêt en y incluant l'horizon ou un lac dans lequel les étoiles sont réfléchies. Par cette méthode photographique, on peut aussi enregistrer le passage d'un satellite artificiel, d'un avion ou d'une pluie d'étoiles filantes.

L'instantané

Avec l'appareil-photo directement braqué sur le ciel, on veut prendre un instantané nous montrant les étoiles telles qu'elles nous apparaissent à l'œil nu. Le temps de pose doit être assez long pour nous montrer les étoiles les plus faibles. Cependant, il doit être assez court pour éviter les images allongées causées par le mouvement des étoiles durant l'exposition. On veut que les étoiles soient des points sur la photo. Le problème est donc de trouver le temps de pose maximum pendant lequel le déplacement des étoiles est encore assez petit pour être invisible sur la photo. Pour que ce déplacement soit invisible, il ne doit pas dépasser les dimensions des plus petites étoiles ou du grain de l'émulsion, soit environ 30 microns. Le temps nécessaire pour qu'une étoile située sur l'équateur céleste se déplace de 30 microns dépend de la distance focale de l'objectif. Ce temps maximum en secondes est égal à 400 divisé par la distance focale en millimètres.

Par exemple, avec un objectif régulier de 50 mm de focale et un téléphoto de 135 mm, les temps de pose maxima sont respectivement de huit secondes et de trois secondes pour des étoiles situées près de l'équateur céleste. À la déclinaison de 60 degrés, où se trouvent par exemple Cassiopée et la Grande Ourse, ces temps peuvent être doublés. C'est normal puisque les étoiles à cette déclinaison se déplacent deux fois moins vite qu'à l'équateur céleste.

À cause du temps de pose très court, il faut ouvrir l'objectif au maximum pour enregistrer les étoiles les plus faibles. Sur du film à diapositives de 160 ASA par exemple, on peut atteindre la sixième magnitude en huit secondes avec un objectif de 50 mm de focale ouvert à f : 1,4. C'est la magnitude des plus faibles étoiles visibles à l'œil nu. On obtient donc une diapositive montrant les constellations aussi bien qu'on les voit à l'œil nu dans les meilleures conditions. Une expérience intéressante et très facile est de photographier chaque soir de temps clair une planète parmi les étoiles de son voisinage. On peut donc retracer de cette façon le mouvement direct ou rétrograde de cette planète parmi les constellations du zodiaque.

La photographie multiple

Par cette méthode, on veut enregistrer sur un même négatif ou une même diapositive une suite d'images d'un même astre. L'appareil-photo doit être construit de façon à permettre de déclencher plusieurs fois l'obturateur sans avancer obligatoirement le film. Sur plusieurs appareils 35 mm, cela n'est pas possible. Il faut alors tenir l'obturateur ouvert à B et faire les expositions à l'aide d'un carton noir placé devant l'objectif. L'appareil-photo demeure toujours fixe et la position de l'astre au moment de chaque déclenchement d'obturateur détermine la position de son image sur le film.

On veut par exemple prendre une photographie multiple de la pleine Lune à son lever. Comme la Lune se déplace de son diamètre en deux minutes, on doit déclencher l'obturateur à toutes les quatre minutes si on veut que chaque image soit

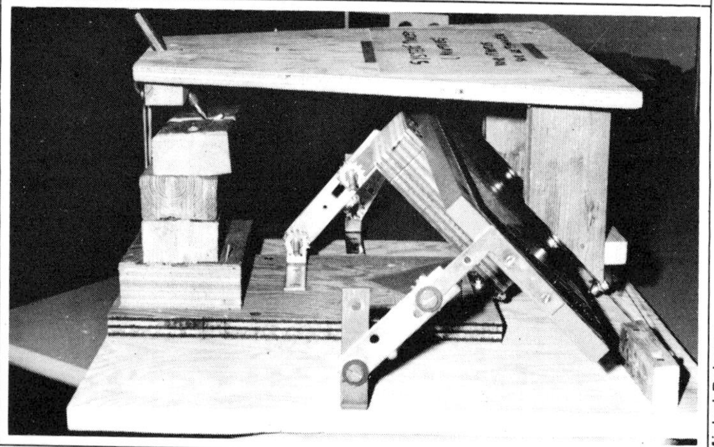

Michel Rebetez

EN HAUT: tube d'extension construit par Pierre Beauchamp et utilisé par l'auteur pour toutes les photos prises avec son télescope de 310 mm d'ouverture. On peut y insérer un oculaire à la position voulue pour la projection par oculaire. **EN BAS**: monture Poncet construite par Jean-Pierre Bernier de Québec. Il s'agit d'un type de table équatoriale sur laquelle on peut installer de petits appareils et suivre le mouvement des astres.

espacée d'une distance égale à son diamètre. Sur du film de 160 ASA, chaque cliché est un instantané d'un centième de seconde à f: 8; on obtient ainsi des images de la Lune correctement exposées. Avec la méthode du carton devant l'objectif, il n'est pas possible de faire une exposition aussi courte qu'un centième de seconde. Avec de bons réflexes et un peu de pratique, on peut exposer facilement un quart de seconde, ce qui peut être suffisant quand la Lune est un mince croissant alors moins lumineux. La photographie multiple est en fait une suite d'instantanés pris sur la même diapositive. Avec un objectif de 135 mm de focale, le champ réel en diagonale est d'environ 20 degrés et la Lune prend alors une heure et 20 minutes à le traverser. À raison d'un cliché toutes les quatre minutes, on a donc un total de 20 images de la Lune sur la même diapositive.

Une telle photo montre que le diamètre apparent de la Lune est le même à l'horizon qu'au zénith et prouve que c'est une illusion qui nous la fait paraître plus grosse près de l'horizon à l'œil nu. C'est un exemple de l'objectivité de la photo par rapport à l'œil. On peut utiliser cette méthode lors d'une éclipse de Lune ou de Soleil et obtenir sur une même photo la suite de toutes les phases de l'éclipse.

Photographie avec un appareil-photo entraîné

Que faire si on veut atteindre des étoiles plus faibles que la sixième magnitude sur une diapositive montrant une constellation? Il faut exposer simplement plus longtemps que huit secondes. Alors, pour éviter les traînées causées par le mouvement des étoiles, il faut que l'appareil-photo soit lui-même entraîné sur une monture équatoriale, de sorte qu'il suive ce mouvement. L'appareil-photo devient alors fixe par rapport à la sphère céleste et enregistre les étoiles comme des points quel que soit le temps de pose.

Une table équatoriale est une petite monture capable de supporter un appareil-photo et quelques autres appareils. Elle est munie d'un système d'entraînement manuel ou avec moteur effectuant une rotation complète en 23 heures

56 minutes et 4 secondes pour compenser la rotation terrestre et rester fixe par rapport aux étoiles. Si l'entraînement est bien régulier et la monture bien alignée, il est possible de prendre des expositions de plus de cinq minutes avec un objectif de 50 mm de focale sans voir de traînées apparentes.

Pour des poses plus longues, il est recommandé de guider. On installe alors sur la table équatoriale une petite lunette guide grossissant environ 25 fois et visant dans la même direction que l'appareil-photo. Cette lunette est munie d'une mire éclairée et durant la pose, on tente de conserver une étoile guide au centre de la mire en faisant des corrections quand c'est nécessaire. Une exposition de 15 minutes sur du film de 400 ASA avec un objectif de 50 mm ouvert à f: 1,4 permet d'atteindre la douzième magnitude. Avec cette méthode photographique, il est possible d'enregistrer les plus riches amas stellaires et les plus brillantes nébuleuses ainsi que les fins détails de la Voie Lactée et de quelques belles comètes.

La photo avec un télescope

La photographie à travers un télescope est beaucoup plus critique que la photographie sur trépied ou avec une table équatoriale. Le grossissement obtenu avec un télescope de 1 000 mm de focale est 20 fois celui d'un objectif de 50 mm de focale. Cette notion de grossissement avec un télescope a été discutée au chapitre quatre. En plus de l'image, les vibrations sont aussi amplifiées 20 fois. En photographie astronomique, la qualité de la monture est extrêmement importante si on ne veut pas des images bougées.

Les deux méthodes les plus populaires utilisées avec la photographie au télescope sont la photographie au foyer primaire et la projection par oculaire (figure 6.3). La photographie au foyer primaire est la plus simple et on en a aussi discuté au chapitre quatre. Il s'agissait tout simplement de placer la pellicule photographique directement au foyer

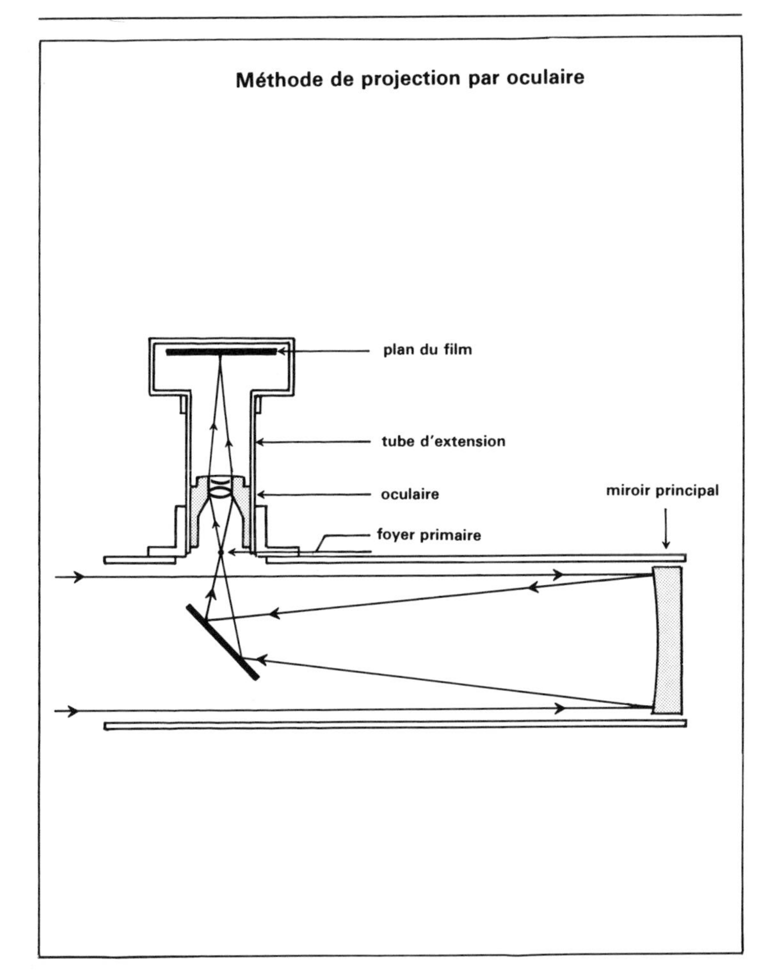

Figure 6.3: Méthode photographique de projection par oculaire. Un oculaire est inséré entre le foyer primaire et le plan du film dans le but d'agrandir l'image. Cette méthode est utilisée pour photographier des objets très petits tels que les planètes, les cratères lunaires ou les taches solaires.

primaire; il devient l'équivalent d'un gros téléphoto. On a aussi vu au chapitre quatre comment calculer la grosseur des images obtenues sur le film avec différentes distances focales.

Avec la méthode de projection par oculaire, l'image obtenue au foyer primaire est projetée plus loin et agrandie à travers l'oculaire. Cet oculaire devient alors comme une lentille de projecteur et le film prend la place de l'écran. Pour obtenir un grossissement plus fort, il s'agit de placer le film plus loin derrière l'oculaire, en ajoutant par exemple un tube d'extension. Le grossissement ainsi obtenu est égal à la distance entre le film et l'oculaire divisée par la distance focale de l'oculaire. Si on place par exemple la pellicule photograhique à 80 mm derrière un oculaire de dix mm de distance focale, on obtient une image huit fois plus agrandie que celle du foyer primaire. Quelle que soit la méthode utilisée, on recommande un appareil reflex, le seul type avec lequel on peut faire une mise au point exacte puisque son viseur nous montre la même image que celle qui est focalisée sur la pellicule par l'objectif du télescope.

Le Soleil et la Lune au foyer primaire

Le Soleil et la Lune sont les seuls objets pouvant être photographiés à travers un télescope non entraîné par un moteur. En effet, ils sont assez lumineux et le temps de pose peut être assez court pour éviter toute traînée causée par le mouvement diurne. Le Soleil est tellement lumineux que même un temps de pose d'un millième de seconde est trop long. On doit absolument utiliser des filtres. Au foyer primaire d'un télescope de 1 000 mm de focale, le Soleil et la Lune remplissent environ le tiers de la diapositive. Pour le temps de pose, on peut utiliser le photomètre de l'appareil-photo mais on recommande de faire des tests.

Les planètes

Les planètes sont moins lumineuses et plus petites. On doit donc utiliser la méthode de projection par oculaire pour les agrandir si on veut voir quelques détails sur les photos. Les temps d'exposition atteignent plusieurs secondes et il est nécessaire d'utiliser une monture très solide entraînée par un moteur de façon très régulière. Pour les différentes planètes, ces temps d'exposition sont donnés par la formule suivante :

$$T = \frac{f^2}{L \times V}$$

«T» est le temps d'exposition en seconde; «f» est le rapport d'ouverture effectif; il est égal au rapport d'ouverture du télescope multiplié par le grossissement de la projection par oculaire; «V» est la vitesse du film en ASA; «L» est une constante empirique de luminance des objets obtenue d'après des considérations théoriques et à partir des expériences de l'auteur.

La constante L diffère selon les objets : elle est de 800 pour Vénus, 50 pour Mars, 25 pour Jupiter, 10 pour Saturne, 60 pour la pleine Lune, 15 pour la Lune au premier quartier et 20 millions pour le Soleil. Par exemple, un télescope de 150 mm d'ouverture et de 900 mm de focale possède un rapport d'ouverture de f : 6. Avec une projection par oculaire grossissant 12 fois, le rapport d'ouverture efficace tombe à f : 72. Si l'on veut photographier la planète Saturne avec du film de 160 ASA, la formule nous donne un temps de pose de 3,25 secondes. Comme premiers tests, on peut essayer des expositions de deux, trois et cinq secondes. Pour éviter les vibrations causées par le miroir et l'obturateur de l'appareil-photo, on peut faire l'obturation à l'aide d'un carton noir placé devant le télescope.

Les nébuleuses

La photographie des objets Messier au télescope, amas stellaires, nébuleuses et galaxies, offre un vrai défi aux astronomes amateurs. Pour capter ces objets très peu lumineux sur la pellicule, on utilise la méthode du foyer

Jean Vallières

Photographies obtenues au foyer primaire d'un télescope de 310 mm d'ouverture et de 1 930 mm de focale. Expositions de 15 minutes sur film 103a-F. EN HAUT: nébuleuse dite de la Dentelle, NGC 6960, autour de l'étoile 52 du Cygne. EN BAS: l'amas double de Persée, NGC 869 et 884.

primaire avec des expositions de 10 à 30 minutes. Non seulement le télescope doit être entraîné avec un moteur, mais la pose doit être guidée avec une lunette ayant une distance focale aussi grande que celle du télescope. On doit faire en moyenne des corrections toutes les dix secondes. En effet, avec un instrument de 1 000 mm de focale, une erreur de guidage de seulement huit secondes d'arc est déjà apparente sur la photo.

Ce genre de photographie est très stimulant puisqu'il nous permet de voir des détails autrement invisibles par l'observation visuelle : bras de nombreuses galaxies, fines structures des nébuleuses, centaines d'étoiles des amas globulaires, etc. Comme la quantité de lumière reçue de ces objets est très faible, il faut utiliser les films les plus rapides aussi bien en couleurs qu'en noir et blanc.

DES PROJETS POUR TOUS LES GOÛTS

L'astronomie est une science universelle non seulement par l'étendue de son sujet d'étude mais aussi par la multiplicité des disciplines qui lui sont connexes. On peut faire de l'astronomie de nombreuses façons. Pour plusieurs, l'astronomie est un loisir et une culture qu'on amplifie par des lectures. D'autres sont intéressés par l'aspect esthétique et métaphysique des anneaux de Saturne et de la poussière d'étoiles. Il y en a qui observent les étoiles comme d'autres observent les oiseaux; les deux font partie de la nature. Il y en a aussi, comme M. Rolland Noël de Tilly, qui s'intéressent à l'histoire de l'astronomie au Québec (il y en a une).

Au long de ce volume, nous avons vu plusieurs projets. On devient un peu et quelquefois beaucoup mécanicien en construisant une bonne monture de télescope. La réalisation du miroir principal est en même temps un art et une science. Tout le monde fait de la photographie. Tous le monde peut aussi photographier le ciel avec un appareil-photo et un trépied. Les explorateurs peuvent visiter le globe en faisant la chasse aux éclipses de Soleil et aux débris de météores.

Les scientifiques peuvent s'adonner à l'observation des occultations lunaires, des étoiles variables et des taches solaires ainsi qu'à la chasse aux comètes, aux novæ et aux astéroïdes.

Il y a de plus un certain nombre de sujets plus académiques ou du genre «expo-sciences». On peut faire un travail sur le comportement de différents films utilisés en photographie astronomique. Il est aussi possible de vérifier les lois de Newton et de Képler en observant les mouvements des satellites de Jupiter. On peut tenter de mesurer l'altitude des montagnes lunaires en observant les ombres qu'elles projettent. On peut classer les étoiles à l'aide d'un spectroscope qu'on a construit soi-même. Il suffit d'un peu d'imagination pour continuer cette liste.

On a vu comment deux activités, la photographie et l'astronomie, pouvaient se rencontrer. Il existe aussi une autre activité très populaire et compatible avec l'astronomie; il s'agit de l'électronique. Ici aussi, les projets ne manquent pas. L'appareil électronique le plus répandu construit par les astronomes amateurs sert à contrôler le moteur d'entraînement du télescope. Il sert à régulariser la vitesse du moteur et à faire les corrections nécessaires en photographie astronomique en le ralentissant ou en l'accélérant. Certains se construisent des chronomètres électroniques au quartz donnant le temps universel et l'heure sidérale, et qui sont très utiles pour chronométrer avec précision des phénomènes tels que les occultations. Les amateurs utilisent aussi l'électronique en photométrie, pour mesurer avec précision les magnitudes des étoiles et des planètes. Enfin, certains utilisent la télévision en circuit fermé pour observer le ciel bien au chaud ou pour enregistrer leurs observations sur vidéo-cassettes.

Nous sommes à l'âge des ordinateurs et des microprocesseurs. Ceux que ces domaines intéressent peuvent les appliquer à l'astronomie. On peut par exemple contrôler un télescope à l'aide d'un micro-ordinateur. En pesant «M 31» sur le clavier, on voit apparaître une carte du ciel montrant

Le micro-ordinateur au service de l'astronomie amateur. La révolution des microprocesseurs, ces petits circuits savants, a rendu l'ordinateur personnel accessible au public. En astronomie, on peut l'utiliser comme carte du ciel nous donnant les positions des étoiles et des planètes à chaque instant. On peut s'en servir dans les calculs des phénomènes futurs ou pour analyser les résultats d'observations. Le micro-ordinateur peut même contrôler les mouvements d'un télescope.

la galaxie d'Andromède sur l'écran cathodique, et ceci en même temps que le télescope va pointer automatiquement cet objet. L'aspect calculs et prédictions est aussi intéressant. On peut programmer des calculatrices et des micro-ordinateurs pour nous donner les coordonnées des planètes, les heures des levers et couchers du Soleil et de la Lune à n'importe quelles dates. Les mathématiciens peuvent s'amuser sur des programmes plus complexes d'éclipses et d'occultations.

Un certain nombre d'astronomes amateurs entreprennent la construction d'un petit observatoire avec un dôme ou un toit coulissant. Un tel projet est utile puisqu'il permet un instrument fixe. La monture peut être plus grosse et plus solide puisqu'il n'est plus nécessaire de la transporter. De plus le télescope est toujours parfaitement aligné et la mise en opération est plus rapide. Il n'est pas nécessaire de posséder un observatoire pour faire de l'astronomie. On voit quand même que pour certains, être astronome amateur, signifie aussi être charpentier, soudeur ou brasseur de ciment!

APPENDICE

QUELQUES UNITÉS ET CONSTANTES UTILES EN ASTRONOMIE

1 angström	$=10^{-10}$ m
1 micron	$=10^{-6}$ m
1 unité astronomique	= la distance moyenne Terre-Soleil $=1{,}496\times10^{11}$ m
1 année-lumière	= la distance parcourue par la lumière en un an $=9{,}46\times10^{15}$ m
1 parsec	= 3,26 années-lumière
Masse de la Terre	$=5{,}97\times10^{24}$ kilogrammes
Masse du Soleil	$=1{,}99\times10^{30}$ kilogrammes
Vitesse de la lumière	= c = 299 792 458 m/sec
Constante de gravitation	$=G=6{,}672\times10^{-11}$N m^2/kg^2
1 pouce	= 25,4 mm
1 mille	= 1,609344 km

LEXIQUE

Achromatique: un objectif dont les rayons lumineux de toutes les couleurs convergent au même foyer.

Amas globulaire: type particulier d'amas comprenant plusieurs milliers de vieilles étoiles; les amas globulaires ne sont pas situés dans le plan des bras de la galaxie comme les amas ouverts; ils sont répartis autour du noyau galactique.

Amas ouvert: groupement de quelques dizaines ou centaines d'étoiles (ex. : les Pléiades); les étoiles de l'amas sont nées à partir d'un même nuage de matière en contraction et ont évolué ensemble.

Analemme: figure en forme de «8» formée par un graphique de l'équation du temps en fonction de la déclinaison du Soleil au cours de l'année.

Aphélie: point de l'orbite d'une planète le plus éloigné du Soleil.

Apogée: point de l'orbite d'un satellite ou de la Lune le plus éloigné de la Terre.

Ascension droite: coordonnée de la sphère céleste équivalente à la longitude sur le globe terrestre; elle se mesure de zéro à 24 heures à partir du point vernal comme point d'origine.

Azimutale: coordonnées ou montures alignées par rapport à la verticale (ou à l'horizontale) d'un poste d'observation; les coordonnées azimutales sont l'altitude et l'azimut.

Barlow: type de lentille placée juste avant l'oculaire et amplifiant le grossissement de deux à trois fois.

Cassegrain: type de télescope comprenant un miroir secondaire convexe qui renvoie le faisceau lumineux à travers un trou percé dans le grand miroir tout en amplifiant l'image.

Céphéide: type d'étoile variable géante pulsante (à diamètre et intensité lumineuse variables) dont le spécimen le plus connu est Delta Céphée.

Circumpolaires: étoiles ou régions situées autour de l'étoile Polaire et qui ne se couchent jamais sous l'horizon pour un poste d'observation donné.

Conjonction: 1 — réunion apparente de deux astres ayant la même ascension droite dans le ciel; 2 — alignement réel de deux astres par rapport au Soleil et situés du même côté de ce dernier.

Constellation: groupement apparent d'étoiles sur la sphère céleste semblant dessiner des figures.

Courses: mouvements de l'outil ou du miroir utilisés lors de la réalisation de ce dernier.

Déclinaison: coordonnée de la sphère céleste équivalente à la latitude sur le globe terrestre; elle se mesure de zéro à 90 degrés à partir de l'équateur céleste vers le pôle céleste.

Diffraction: phénomène causé par la nature ondulatoire de la lumière; en passant à travers une ouverture, un rayon lumineux peut être faiblement dévié; à la place d'une image ponctuelle théorique, cette déviation produit une tache, la tache de diffraction.

Distance focale: distance entre l'objectif et son foyer; correspond à peu près à la longueur du tube pour un télescope de type Newton.

Doucissage: lors de la réalisation d'un miroir de télescope, opération par laquelle on rend la surface du miroir de moins en moins rugueuse en utilisant des abrasifs de plus en plus fins.

Ébauchage: opération par laquelle on creuse un miroir de télescope avec un abrasif grossier afin d'obtenir le bon rayon de courbure.

Écliptique: trajectoire apparente du Soleil sur la sphère céleste; projection du plan de l'orbite terrestre sur la sphère céleste.

Élongation: angle que font entre eux deux astres vus de la Terre.

Équateur céleste: projection du plan de l'équateur terrestre sur la sphère céleste.

Équation du temps: correction de temps nécessaire pour transformer le temps solaire vrai local en temps solaire moyen local.

Équatoriale: coordonnées ou montures alignées par rapport à l'axe de rotation (ou à l'équateur) de la Terre.

Foyer: point de rencontre de tous les rayons lumineux provenant d'un objet ponctuel situé à l'infini après réflexion sur un miroir parabolique ou après réfraction à travers une lentille convergente.

Galaxie: la plus grande structure connue dans l'Univers; ensemble de gaz, de poussières et de milliards d'étoiles; notre galaxie est la Voie Lactée.

Limbe: bord ou pourtour extérieur du disque de la Lune ou d'une planète éclairée par le Soleil.

Mer: tache ou partie plus sombre de la surface d'une planète.

Méridien Sud: arc de cercle partant du pôle céleste Nord et se continuant jusqu'au point cardinal sud d'un poste d'observation en passant par le zénith.

Messier: astronome français (1730-1817) ayant fait la découverte de nombreuses comètes et ayant élaboré un catalogue d'amas stellaires, nébuleuses et galaxies toujours utilisé par les astronomes amateurs.

Minute d'arc: angle égal à un soixantième de degré.

Nébuleuse diffuse: amas de poussières et de gaz rendus visibles par la lumière ou le rayonnement X ou ultra-violet des étoiles voisines (ex.: la grande nébuleuse d'Orion).

Nébuleuse planétaire: nuée de matière de forme plus ou moins ronde en expansion autour d'une étoile qui a explosé (ex.: la nébuleuse annulaire de la Lyre).

Newton: 1 — physicien anglais (1642-1727) ayant élaboré une théorie de la gravitation universelle; 2 — type de télescope réflecteur comprenant un miroir principal parabolique et un miroir secondaire plan.

Nova: étoile en explosion devenant plusieurs milliers de fois plus lumineuse pendant quelques jours.

Occultation: disparition d'un astre caché par un autre; on a par exemple une étoile occultée par la Lune.

Opposition apparente: deux astres ayant 180 degrés ou 12 heures de différence en ascension droite.

Opposition réelle: deux planètes situées en ligne mais de part et d'autre du Soleil.

Outil: disque de même diamètre que le miroir servant lors de la construction du miroir d'un télescope.

Ouverture: diamètre d'un objectif d'appareil-photo ou de télescope.

Parabolisation: lors de la réalisation d'un miroir, action de transformer la forme sphérique du miroir en parabole à l'aide de courses spéciales.

Périgée: point de l'orbite d'un satellite ou de la Lune le plus près de la Terre.

Périphélie: point de l'orbite d'une planète le plus près du Soleil.

Point vernal: point de la sphère céleste où se situe le Soleil à l'équinoxe de printemps; point d'origine pour les coordonnées célestes situé à zéro degré de déclinaison et à zéro heure d'ascension droite.

Pouvoir séparateur: angle minimum entre deux points que peut séparer un instrument; dépend de la tache de diffraction qui est plus petite avec un objectif plus grand.

Quadrature: se produit quand deux astres font ensemble un angle de 90 degrés.

Radiant: point de la sphère céleste d'où les étoiles filantes semblent provenir et irradier à cause d'un effet de perspective.

Rapport d'ouverture: rapport de la distance focale divisée par le diamètre de l'objectif.

Rétrograde: mouvement relatif d'une planète supérieure par rapport à la Terre; se produit autour de la date d'opposition quand la Terre, plus rapide, dépasse la planète dans sa course autour du Soleil; à ce moment, la planète semble reculer.

Schmidt: type de télescope ou caméra possédant une lentille correctrice placée devant l'ouverture du tube et permettant un plus grand champ de vision sans déformation d'étoiles.

Seconde d'arc: angle égal à $1/_{60}$ de minute d'arc ou à $1/_{3\,600}$ de degré.

Synodique: période de révolution d'une planète par rapport à la Terre ou à la ligne Terre-Soleil; période égale à l'intervalle moyen entre deux oppositions.

Télescanthrope: spécimen dérivé de l'homo-sapiens, possédant à un œil un appendice réflecteur ou réfracteur pointant vers le ciel; se rencontre le plus souvent entre la fin du crépuscule et minuit, mais seulement par temps clair; préfère les terrains vastes et les plateaux élevés; dédaigne les arbres et les lampadaires; se nourrit de café; possède une très grande résistance au froid et aux coups de Lune; inoffensif si non provoqué.

Temps sidéral: temps calculé par rapport aux étoiles; la Terre fait une rotation de 360 degrés par rapport aux étoiles en une journée sidérale ou 24 heures sidérales, ce qui équivaut à 23 heures 56 minutes et 4 secondes de temps solaire moyen.

Temps solaire moyen: temps mesuré par rapport à l'intervalle de temps moyen entre deux passages du Soleil au méridien Sud; le jour solaire moyen est égal à 24 heures.

Temps universel: temps calculé selon l'heure du méridien de Greenwich situé à zéro degré de longitude.

Terminateur: ligne séparant la partie éclairée par le Soleil de la partie non éclairée de la surface de la Lune ou d'une planète; un observateur situé sur le terminateur lunaire voit le Soleil se lever ou se coucher.

Zénith: point de la sphère céleste situé à la verticale au-dessus d'un observateur.

Zodiaque: bande située de part et d'autre de l'écliptique; comprend les 12 constellations où se trouvent toujours la Lune et les planètes visibles à l'œil nu.

OUVRAGES RECOMMANDÉS

Pour ceux qui désirent parfaire leurs connaissances en astronomie après avoir parcouru cette brève initiation, voici quelques titres d'ouvrages recommandés:

Ouvrages d'initiation

Initiation à l'astronomie de Pierre Kohler, Hachette, 1980, 126 pages. Pour le débutant. Comment repérer les constellations, acheter ou construire un instrument, s'initier à l'astrophoto.

Initiation à l'astronomie de A. Acker, Masson, 1979, 2e édition, 151 pages. L'astrophysique d'observation bien expliquée avec de nombreuses illustrations et quelques formules de niveau CÉGEP.

Volumes d'astronomie générale

Patience dans l'azur de Hubert Reeves, Québec Science Éditeur, 1982, 304 pages. Grand reportage scientifique sur 15 milliards d'années d'évolution cosmique, de l'explosion initiale jusqu'au cerveau humain.

Cosmos de Carl Sagan, Éditions Sélect, Montréal, 1981, 361 pages. La fameuse série télévisée détaillée dans un volume merveilleusement illustré.

La Nouvelle Astronomie de J.C. Pecker, Hachette, Paris, 1979, 430 pages. Ce volume très complet décrit jusque dans les moindres détails les astres, les phénomènes astronomiques, les méthodes et les outils utilisés par les astronomes. Dans le même style, il y a aussi l'*Astronomie Populaire* de Camille Flammarion et le grand volume d'astronomie de Larousse.

Histoire de l'astronomie

L'astronomie et son histoire de Jean-René Roy, Presses de l'Université du Québec, 1982, 665 pages. Volume traitant de tous les aspects de l'astronomie et de l'astrophysique. Approche historique décrivant comment se font les recherches et les découvertes.

Observation astronomique

Guide des étoiles et des planètes de Donald H. Menzel, Delachaux et Niestlé, Suisse, 1974, 408 pages. Contient descriptions et cartes de la Lune et des étoiles. Nombreux tableaux.

Guide de l'astronome amateur de Didier Godillon, Maloine S.A. éditeur, Paris, 1975, 574 pages. Guide très complet. Décrit la construction du miroir et de la monture d'un télescope. Donne de nombreuses méthodes et trucs d'observation ainsi qu'un peu de théorie.

Le Vade-Mecum de l'astronome amateur de Paul Madorni, Desforges, Paris, 1974, 128 pages. Observation visuelle et photographique. Construction d'un cadran solaire. Construction d'un miroir de télescope.

À l'affut des étoiles de Pierre Bourge et Jean Lacroix, Dunod, 1980, 297 pages. Manuel pratique de l'astronome amateur. Les instruments de l'amateur. Les techniques d'observation. Bien illustré.

Atlas, cartes célestes et catalogues

Cherche-étoile Alpha dessiné par Maurice Provencher, éditeur Marcel Broquet, modèle de luxe $9, modèle junior $5. Représente toutes les étoiles visibles à l'œil nu. Plastifié et rigide.

Norton's Star Atlas de A.P. Norton, Galland & Inglis, Écosse, 1973, 140 pages. Cartes détaillées montrant les étoiles jusqu'à la magnitude 6,3 et tous les objets, amas et nébuleuses visibles dans un petit instrument. Nombreux tableaux et renseignements sur les étoiles doubles, amas et nébuleuses.

Atlas du ciel de l'astronome amateur de Didier Godillon, éditions Dain, Paris, 1971, 413 pages. Conseils sur l'observation visuelle et photographique. Cartes des constellations jusqu'à la magnitude sept. Tableaux et coordonnées des objets, amas et nébuleuses. Tableaux de précession.

Sky Atlas 2000 par Tirion et *Sky catalog 2000.* Distribués par Sky Publishing Corporation, 49 Bay State Road, Cambridge, Mass., 02238-1290. Catalogue et cartes des étoiles jusqu'à la magnitude 8 montrant aussi des milliers d'objets: amas, nébuleuses, etc.

Construction de télescopes

Comment polir un miroir de télescope par Michel Rebetez, éditions de Sogetav, 1977, 70 pages. Décrit de façon très détaillée toutes les étapes de la construction du miroir primaire d'un télescope de type Newton jusqu'aux tests ultimes. Ne parle pas des montures.

La fabrication d'un miroir de télescope de Roger Gagnon, collection «Guides scientifiques en astronomie», Conseil de la jeunesse scientifique, Montréal, 1977, 67 pages.

La construction d'un télescope d'amateur de Roger Gagnon, collection «Guides scientifiques en astronomie», Conseil de la jeunesse scientifique, Montréal, 1977, 60 pages.

Amateur Telescope Making Book I, II, III, publié par Scientific American, éditeur Albert G. Ingalls. La bible des constructeurs de télescopes en trois volumes de plus de 500 pages chacun. La première édition date de 1935 et donna le coup d'envoi à ce genre de loisir en Amérique. Contient tout ce qu'on peut imaginer de classique sur le sujet.

Les cahiers de la banque d'informations de l'AGAA: 1 — Le premier télescope: acheter ou construire? 2 — Astrophotographie: technique-accessoires-films. 3 — L'optique astronomique. 4 — Sites d'observation et conditions atmosphériques. 5 — Accessoires pour fabriquer un télescope. Ces cahiers ont de 10 à 30 pages et se vendent moins de un dollar chacun.

Éphémérides

Almanach graphique du Centre de Québec de la SRAC. Un grand graphique de 11"×17" donnant les heures de visibilité des planètes, objets intéressants et éclipses tout au long de l'année. Distribué gratuitement sur demande. Il existe aussi un grand format mural. Le Centre de Québec distribue aussi un Éphéméride conçu par Jean-Pierre Bernier.

Annuaire astronomique de l'amateur de la Société d'astronomie de Montréal. Volume de 96 pages publié annuellement par la Société d'astronomie de Montréal et décrivant en détail tous les phénomènes astronomiques se produisant durant l'année et visibles au Québec. Nombreux tableaux et cartes.

Photographie

La photographie astronomique d'amateur de Bourge, Dragesco et Dargery, éditions Paul Montel, Paris, 1979, 144 pages. L'appareil photo. Techniques et instruments spéciaux. Les films. Théorie photographique appliquée à l'astronomie. Nombreuses photos servant d'exemples.

Initiation à l'astrophotographie de Roger Gagnon, collection «Guides scientifiques en astronomie», Conseil de la jeunesse scientifique, Montréal, 1977, 70 pages.

La photographie astronomique de Damien Lemay, Centre de Québec de la SRAC, Québec, 1976, 24 pages.

Micro-ordinateurs et astronomie

Astronomical formulae for calculators de Jean Meeus, ed. Willmann-Bell Inc., U.S., 1982, 201 pages. Toutes les explications et les formules nécessaires pour écrire soi-même des programmes pour micro-ordinateurs donnant le temps sidéral, les coordonnées et les heures des levers et couchers des astres, les phases de la lune, les conditions des éclipses, les positions des satellites de Jupiter, etc.

Celestial Basic de Eric Burgess, Sybex, U.S., 1982, 300 pages. Contient vingt programmes écrits en BASIC et prêts à recopier avec son propre micro-ordinateur. Mêmes sujets que dans le volume précédent.

Calcul astronomique pour amateurs de S. Bouiges, Masson, 1981, 154 pages. Descriptions et formules pour les calculs astronomiques. Mêmes sujets que les volumes précédents. Quelques programmes en annexes.

Revues et bulletins

Le Québec astronomique. Revue fondée par la Société d'astronomie de Montréal et en même temps revue officielle de l'A.G.A.A. Publiée dix fois par année et distribuée automatiquement aux membres des sociétés.

Sky and Telescope, publié par Sky Publishing Corporation, 49 Bay State Road, Cambridge, Mass., 02238-1290. Revue américaine de 96 pages en couleurs traitant aussi bien des sujets d'actualité astronomique que des activités des astronomes amateurs.

Astronomy, publié par Astromedia Corp., P.O. Box 92788, Milwaukee, WI 53202. Comme *Sky and Telescope.* 88 pages.

COLLECTION

dirigée par Félix Maltais

De la recherche des ancêtres à la découverte du ciel, de l'observation des oiseaux à l'exploration des cavernes, de la connaissance des champignons à l'étude des roches, les activités ne manquent pas à qui veut mieux connaître son environnement par la pratique de loisirs instructifs et créateurs.

Conçus par des amateurs chevronnés, les volumes de la collection «FAIRE» veulent mettre à la disposition du public le résumé des connaissances et du savoir-faire acquis par les amateurs au fil des ans dans leurs domaines respectifs, et donner à chacun le goût et les moyens de «FAIRE» par lui-même et ce, dans le contexte québécois.

DANS LA COLLECTION «FAIRE»:

Cherchons nos ancêtres, *par Michel Langlois,* 168 p.

Devenez astronome amateur, *par Jean Vallières,* 244 p.

Observer les oiseaux au Québec, *par Normand David et Michel Gosselin,* 268 p.

Achevé d'imprimer en juin 1987
sur les presses de l'Éclaireur
Beauceville (Québec)